Top
Chef

EVVIVA LA MOZZARELLA!

Testi: Rosanna Marziale
Fotografie: Manuela Vanni (tranne fotografia di pagina 6, Shutterstock Images)

Redazione Gribaudo
Via Garofoli, 262
37057 San Giovanni Lupatoto (VR)
redazione@gribaudo.it

Responsabile editoriale: Franco Busti
Responsabile di redazione: Laura Rapelli
Redazione: Claudia Presotto, Paola Morelli
Responsabile grafico: Meri Salvadori
Progetto grafico: Monica Priante
Fotolito e prestampa: Federico Cavallon, Fabio Compri
Segreteria di redazione: Daniela Albertini

FSC
www.fsc.org
MISTO
Carta
da fonti gestite in
maniera responsabile
FSC® C044117

Stampa e confezione: Arti Grafiche Dial · Mondovì (CN),
azienda certificata FSC®·COC con codice ICILA·COC·000335

© 2013 Gribaudo - IF - Idee editoriali Feltrinelli srl
Socio Unico Giangiacomo Feltrinelli Editore srl
Via Natale Battaglia, 12 · Milano
info@gribaudo.it
www.gribaudo.it

Prima edizione: 2013 [4(C)] 978-88-580-0844-7

IL RAZZISMO
È UNA
BRUTTA STORIA.
razzismobruttastoria.net

Rosanna Marziale

EVVIVA LA MOZZARELLA!

Proposte gourmand con la Bufala Campana

GRIBAUDO

Prefazione

Ci sono tanti motivi che spingono qualcuno a diventare cuoco, uno dei più classici è che… già i genitori lo facevano. Questo è stato il caso di Rosanna Marziale. Nel 1950 suo padre Gaetano aprì un suo locale, La Bomboniera, a pochi metri dalla meravigliosa Reggia di Caserta: curiosamente, dati i tempi, lui stava in cucina mentre la moglie Pasqualina stava in sala. Era e anche oggi è un locale importante, della festa. Prospera subito e presto viene affiancato da una grossa struttura, a pochi chilometri di distanza, per matrimoni e banchetti, di altrettanto successo. In più è anche una pasticceria classica, una cosa intelligentemente voluta da Gaetano e sempre portata avanti. Dopo un'ampia ristrutturazione viene ribattezzato Le Colonne.

Rosanna razzola in cucina fin da piccola e impara tutto dal padre: soprattutto l'amore per gli ingredienti della sua terra, così ricca di grandi prodotti. Ma di natura è incontentabile: e questo sentimento non razionale da parte di giovani cuochi sommato alla passione divorante per il proprio lavoro è stato il primo motore della crescita della nostra cucina negli ultimi decenni. Quindi studia per crescere, per migliorare l'esecuzione dei piatti, partendo come sempre dalla conoscenza delle tecniche nuove, quelle messe a punto allo scopo di rispettare al meglio la bontà della materia prima utilizzata: è un aspetto sul quale non meditiamo mai abbastanza. E poi stage, lei dice di averne fatti due fondamentali per la sua crescita, il primo da Vissani e il secondo da Martín Beratasegui. E poi, cosa che continua a fare anche adesso, tante frequentazioni di colleghi, in uno scambio di esperienze che rende tutti più ricchi – e noi clienti ghiotti più felici.

Oggi è lo chef del ristorante ma segue anche il resto dell'azienda, insieme al fratello Loreto e alla sorella Maria, anche se mamma Pasqualina sovraintende il tutto.
Se l'amore e la conoscenza dei prodotti della sua terra sono la cifra della sua cucina, un prodotto svetta, non può che svettare, su tutti: la Mazzarella di Bufala Campana. Solo chi, come me, ha avuto il privilegio di conoscere quanto e come la ami, si rende veramente conto di quanto sia simbiotico il legame fra Rosanna e la Mozzarella. Per questo motivo ho chiesto a lei di condividere, di cercare di condividere con voi lettori, questo suo amore. E le ho chiesto di scrivere uno sproposito di ricette sulla Mozzarella, quasi 100, e lei ha accettato, con l'entusiasmo che mette nel suo lavoro: ma sia chiaro, sì partendo dalla sua grande competenza ma proponendo ricette facili da fare, alla portata di tutti. Questo è il risultato. Evviva la Mozzarella!

Allan Bay

MOZZARELLA
DI BUFALA CAMPANA

Spesso definita regina della cucina mediterranea, è un latticino prodotto solo con latte fresco e intero di bufala di razza mediterranea italiana. Gli animali devono essere iscritti all'anagrafe e sono allevati secondo gli usi locali a stabulazione semilibera. Dagli anni Novanta il riconoscimento della DOP (Denominazione di Origine Protetta) assicura i consumatori con un rigido disciplinare di produzione, delimitando l'area geografica di produzione (Caserta, Salerno, Napoli, Benevento, Basso Lazio, Foggia), la tecnologia, ma soprattutto il confezionamento obbligatorio con i relativi marchi.

PER SAPERNE DI PIÙ

Il termine mozzarella deriva dall'operazione di mozzatura, compiuta ancora oggi in molti caseifici per tagliare la pasta filata nelle diverse tipologie: bocconcini, nodini, classica, aversana, treccia.
La mozzarella è un formaggio derivante da una consolidata tecnologia di caseificazione di pasta filata fresca, patrimonio storico della filiera lattiero-casearia italiana. Nella sua tipologia più tradizionale, il prodotto deve essere ottenuto a partire da latte intero fresco che arriva crudo e refrigerato allo stabilimento.
Elemento qualificante è il siero-innesto naturale, che si ricava dalla lavorazione del giorno prima, ottenuto nello stesso stabilimento, ricco di fermenti lattici naturali, autoctoni della zona di origine. La complessità di questa flora lattica contribuisce a determinare le caratteristiche finali del prodotto.
Le origini di questo formaggio sono direttamente legate all'introduzione dei bufali nel Centro-Sud Italia, diffusi dai Normanni nell'attuale area DOP di produzione in quanto, essendo ricca di paludi, consentiva l'allevamento solo di questo straordinario animale.

DESCRIZIONE DEL PRODOTTO (utile al momento dell'acquisto)

La mozzarella di bufala campana DOP è un formaggio fresco a pasta filata. La sua forma può essere sferoidale, con peso da 10 a 800 g, o a treccia con peso fino a 3 kg; inoltre, per tutte le pezzature, è prevista l'affumicatura. La mozzarella di bufala campana DOP viene sempre confezionata in involucro protettivo – recante il logo giallo-rosso della UE e quello del Consorzio con la testa di bufala stilizzata – e commercializzata in contatto con il liquido di governo, costituito da acqua con eventuale aggiunta di sale, a contatto diretto se l'involucro è ermetico, per diffusione se l'involucro è microforato o permeabile.

CARATTERISTICHE ORGANOLETTICHE

ASPETTO
- Crosta assente, presenza di una pelle di consistenza tenera;
- superficie liscia e lucente, omogenea, di colore bianco porcellana;
- pasta di struttura tipicamente fibrosa, più pronunciata all'origine, a foglie sovrapposte che rilascia al taglio e per leggera compressione un liquido lattiginoso (la pasta può talora presentare dei distacchi in cui si accumula detto liquido);
- occhiature assenti;
- colore bianco latte, omogeneo, esente da chiazze e striature.

CONSISTENZA
- Morbida e leggermente elastica;
- al palato presenta caratteristiche di gommosità che si attenuano durante la conservazione;
- al taglio si separa siero biancastro in quantità decrescente con il progredire della conservazione.

SAPORE
- Caratteristico, sapido, fresco, delicatamente acidulo e leggermente dolce.

ODORE
- Caratteristico, fragrante, delicato, di latte lievemente acidulo (l'odore selvatico è più o meno accentuato in relazione alle caratteristiche del latte bufalino presente).

COME CONSERVARLA AL MEGLIO

La mozzarella DOP esprime al meglio le proprie caratteristiche organolettiche se consumata nel più breve tempo possibile dall'acquisto, dopo essere stata mantenuta al fresco (non in frigorifero) e nel proprio liquido di governo. La caratteristica per riconoscerne la freschezza è l'elasticità (*vedi* Descrizione del prodotto, Caratteristiche organolettiche).

La temperatura ideale di conservazione della mozzarella è compresa tra i 12 e i 18°. Se la conservazione prolungata o le alte temperature esterne ne rendono necessaria la conservazione in frigorifero, bisogna estrarla con un certo anticipo, prima del consumo, altrimenti si può immergere eventualmente la confezione in acqua calda (a 38-40°) per almeno 30 minuti, in modo da consentire al prodotto di sprigionare tutto il suo bouquet aromatico.

ATTENZIONE: qualora si decidesse di utilizzare la mozzarella per cucinare, è consigliabile conservarla in frigorifero senza il suo liquido di governo. Per molte ricette si può usare anche la mozzarella grattugiata: basta collocarla in abbattitore, se lo si possiede, altrimenti andrà bene conservarla nel congelatore, rigorosamente senza liquido di governo, avvolta semplicemente in uno strato di pellicola per alimenti o all'interno di un sacchetto per il freezer. Al momento dell'uso, basta estrarla dal congelatore e grattugiarla sul nostro piatto, come un qualsiasi formaggio stagionato.

AVVERTENZE

- Gli **ingredienti** delle ricette sono da intendersi sempre per 4 persone, salvo dove diversamente indicato.
- Le **temperature** di cottura sono espresse in gradi centigradi.
- Con **olio** si intende l'olio extravergine di oliva leggero, salvo indicazioni diverse.
- L'**aceto** è sempre aceto di vino rosso. Se bianco o a base di altri ingredienti viene specificato.
- Con **zucchero** ci si riferisce allo zucchero semolato. Se è un altro, viene indicato.
- Con **panna** si indica la panna fresca da montare.
- **Mozzarella e ricotta, in questo volume, sono sempre di latte di bufala**.

LE RICETTE

ARANCINE NELLA MOZZARELLA

INGREDIENTI

4 mozzarelle da 100 g l'una

200 g di riso superfino a chicco tondo per minestra

1/2 bustina di zafferano

2 tuorli

60 g di pecorino grattugiato

30 g di burro

1 cipolla

50 g di piselli

80 g di ragù

60 g di farina

80 g di pangrattato

olio

olio di semi di arachidi

sale

PREPARAZIONE: 40 MINUTI

COTTURA: 8 MINUTI

Lessate il riso in poca acqua salata: a cottura ultimata, l'acqua deve essere totalmente assorbita; l'amido rimarrà nella pentola e avrete un riso asciutto e appiccicoso. Sciogliete lo zafferano in poca acqua o nei tuorli sbattuti e unite il tutto al riso. Aggiungete il formaggio e il burro, mescolate e fate raffreddare. Tagliate finemente la cipolla e fatela rosolare con un cucchiaio di olio a fuoco basso, quindi aggiungete i piselli e fateli cuocere per 10 minuti con un mestolo di acqua. Quando saranno croccanti ma cotti, aggiungeteli al ragù. Con il riso freddo formate uno strato sottile schiacciandolo sul palmo della mano. Create un incavo e inserite un cucchiaio di ragù e piselli, chiudete con un altro strato di riso e formate delle palle. Lasciate le mozzarelle in microonde a 800 W per 1-2 minuti (dipende dalla consistenza della mozzarella). Appena vedete che iniziano ad ammollarsi, schiacciatele con le dita e, prima che si raffreddino, posizionatevi sopra le arancine. Chiudete velocemente, formando una sfera, e pressate leggermente. Asciugate le sfere e passatele nella farina e poi nell'uovo e nel pangrattato. Friggete le arancine di mozzarelle in olio di semi di arachidi caldo a 170° e servite subito.

NOTA *Per ottenere dell'ottimo pangrattato, tostate del pane bianco e grattugiatelo 3 volte di seguito.*

ACQUA, SALE, PANZANELLA E MOZZARELLA

INGREDIENTI

200 g di bocconcini di mozzarella
2 fette di pane casareccio raffermo
2 pomodori verdi
2 pomodori rossi
1 cipolla rossa
2 cucchiai di olive nere denocciolate
2 cucchiai di capperi
1 ciuffo di basilico
origano fresco
olio
sale
pepe

PREPARAZIONE: 10 MINUTI
COTTURA: 4 MINUTI

Lavate tutte le verdure, tagliatele a cubetti e mescolatele in una larga ciotola. Condite il tutto con l'olio, un pizzico di sale, le olive tagliate a pezzi, i capperi e il basilico spezzettato con le mani. Lasciate fondere i sapori per qualche minuto.

Su ciascuna fetta di pane cospargete il composto e aggiungete i bocconcini di mozzarella, un pizico di foglioline di origano fresco e un cappero. A piacere mettete in forno per qualche minuto per far sciogliere leggermente la mozzarella.

ASPARAGI IN CROSTA DORATA

INGREDIENTI

16 fettine sottili di mozzarella tenuta in frigorifero
per 2 giorni (priva di liquido di governo)
8 asparagi verdi
250 g di pasta sfoglia
8 fette di prosciutto crudo
1 uovo

PREPARAZIONE: 30 MINUTI
COTTURA: 25 MINUTI

Pulite e raschiate gli asparagi per eliminare le parti esterne più dure. Raccogliete a mazzetto gli asparagi legandoli con spago da cucina e fateli bollire in piedi in acqua salata per 10 minuti, fino a che non saranno cotti ma ancora croccanti. Scolateli, lasciateli raffreddare e asciugateli.

Stendete il rotolo di pasta sfoglia, spianatelo leggermente con un matterello e ricavate con un coltello 8 strisce di pasta larghe 3 centimetri. Stendete una fetta di prosciutto crudo e 2 di mozzarella su ciascuna, poi utilizzate le strisce di pasta sfoglia per avvolgere gli asparagi e spennellate tutta la superficie con l'uovo sbattuto. Infornate a 200° su una placca ricoperta con carta da forno per 15 minuti, fino a quando la sfoglia non risulterà ben dorata. Serviteli caldi.

BACI DI CHAMPIGNON

INGREDIENTI

100 g di mozzarella

24 cappelle di funghi champignon

20 g di pinoli

1 mazzetto di erbe miste (aneto ed erba cipollina)

50 g di ricotta

1,5 dl di panna

50 g di Parmigiano-Reggiano grattugiato

sale

pepe

PREPARAZIONE: 40 MINUTI

■

Per prima cosa preparate la crema per farcire i baci di funghi. Tritate finemente i pinoli con un mixer, pulite le erbe e tritatele. In una ciotola unite la mozzarella tritata con la ricotta, la panna e il Parmigiano-Reggiano. Amalgamate e incorporate poi anche i pinoli e le erbette. Regolate di sale e di pepe e lasciate riposare in frigorifero per 30 minuti.

Mondate e lavate le cappelle di champignon, poi eliminate la pellicina che le ricopre. Raschiate all'interno cercando di non bucarle. Prendete l'impasto dal frigorifero e farcite le cappelle attaccandole due a due come se fossero dei baci di dama. Consumateli subito, perché i funghi tendono ad annerire.

BOCCONCINI DI SARDE PINOLI E UVA PASSA

INGREDIENTI

20 bocconcini di mozzarella
20 sarde fresche
50 g di pinoli
50 g di uva passa
50 g di pangrattato (*vedi* pag. 12)
50 g di erbe aromatiche
4 uova
olio di semi di arachidi

PREPARAZIONE: 15 MINUTI
COTTURA: 4 MINUTI

Pulite accuratamente le sarde privandole della testa e delle interiora. Lavatene bene le carni e mettetele ad asciugare distese su un foglio di carta assorbente da cucina.

Intanto preparate una panatura con il pangratto, le erbe aromatiche, i pinoli e l'uva passa, tutti tritati finissimi.

In una ciotolina, sbattete le uova con una forchetta. Versate in una padella abbondante olio e scaldatelo. Prendete quindi un filetto di sarda, bagnatelo accuratamente nell'uovo sbattuto, quindi nel composto di pangrattato ed erbe. Arrotolate il filetto e chiudetelo con uno stuzzicadenti. Ripetete l'operazione per tutti i filetti e poi friggeteli nell'olio.

Quando saranno ben dorati, metteteli a scolare su più fogli di carta assorbente da cucina e aggiungete a ognuno un bocconcino di mozzarella, infilzandola nello stesso stuzzicadenti. Servite i bocconcini tiepidi o anche freddi.

BIANCO, ROSSO E VERDE

INGREDIENTI

700 g di mozzarella

100 g di ricotta

24 foglioline di menta fresca

origano

400 g di pomodori San Marzano

1 cucchiaio di pesto

2 cucchiai di olio

sale

pepe

PREPARAZIONE: 10 MINUTI

ATTREZZATURA: STAMPO CILINDRICO

Strizzate la mozzarella in una ciotola, conservate il latticello e tagliatela in piccoli pezzi. Lavorate la ricotta con una frusta e incorporatevi i quadretti di mozzarella insieme a 20 foglioline di menta e a un po' di origano.

Tagliate i pomodori, privateli dei semi, riduceteli in piccoli pezzi e conditeli con un cucchiaio di olio, il pesto, un pizzico di sale e uno di pepe.

Aiutandovi con uno stampo cilindrico, posizionate alla base il composto di mozzarella, al centro i pomodori e ricoprite nuovamente con uno strato di mozzarella.

Con il latticello tenuto da parte e un cucchiaio di olio preparate un'emulsione che servirà per condire il piatto. Decorate con una fogliolina di menta e condite con la salsa ottenuta dall'emulsione.

CANNELLONI RUCOLA E MOZZARELLA

INGREDIENTI

300 g di mozzarella

200 g di cannelloni secchi

250 g di rucola

40 g di burro

20 g di farina

2 dl di latte

noce moscata

1 pezzetto di porro

1 spicchio di aglio

40 pinoli

1 mazzetto di maggiorana

40 g di grana grattugiato

olio

sale

pepe

PREPARAZIONE: 30 MINUTI

COTTURA: 45 MINUTI

Preparate la besciamella facendo fondere 20 g di burro in una casseruola antiaderente. Unite la farina e amalgamate bene il tutto lasciandolo dorare a fiamma moderata. Diluite il composto con il latte caldo, versandolo a filo, e cuocete la salsa per 10 minuti a fuoco basso, mescolando in continuazione con un cucchiaio di legno. Salate, pepate e profumate a fine cottura con una grattugiata di noce moscata.

Lavate la rucola e sbollentatela per 15 secondi in acqua salata. Scolatela, strizzatela e tritatela grossolanamente. Sbucciate il porro, dividetelo a metà nel senso della lunghezza e affettatelo al velo. Fatelo appassire in 2 cucchiai di olio insieme con l'aglio tritato. Aggiungete i pinoli, alzate la fiamma e rosolate leggermente il tutto per 2-3 minuti. Unite la rucola, lasciatela rapidamente insaporire a fiamma vivace e regolate di sale. Profumate con un cucchiaio abbondante di foglioline di maggiorana, una macinata di pepe e spegnete il fuoco. Lasciate intiepidire e incorporate la mozzarella tagliata a dadini.

Lessate i cannelloni per 4 minuti in acqua bollente salata. Scolateli e riempiteli con la farcia alla rucola. Allineateli in una pirofila unta di olio, e copriteli con la besciamella. Cospargete con il grana e il rimanente burro a fiocchetti e cuocete in forno preriscaldato a 180° per circa 25 minuti.

CALAMARO, MOZZARELLA E FRIARIELLI

INGREDIENTI

250 g di mozzarella

4 calamari da g 60 l'uno

100 g di friarielli

1 spicchio di aglio

peperoncino piccante

80 g di mollica di pane a cubetti

60 g di Grana Padano grattugiato

olio

sale

pepe

PREPARAZIONE: 40 MINUTI

COTTURA: 30 MINUTI

Mondate e lavate i friarielli. In una padella antiaderente rosolate l'aglio in poco olio e saltate i friarielli ancora bagnati. Coprite con un coperchio e girate fino a quando non saranno cotti: ci vorranno circa 15 minuti. Aggiungete del peperoncino e salate. Lasciate raffreddare e tagliate finemente i friarielli.

Strizzate la mozzarella e tagliatela in piccoli cubetti. In una ciotola riunite i friarielli, la mozzarella, il pane a cubetti e il Grana Padano. Amalgamate bene e farcite i calamari con il composto, tenendone un po' da parte per il montaggio. Avvolgeteli in alluminio per alimenti e chiudete i due lati. Cuocete in forno preriscaldato per 15 minuti a 170°.

Sistemate al centro dei piatti individuali l'impasto di friarielli e mozzarella tenuto da parte e adagiate un calamaro su ognuno.

NOTA *I friarielli, tipica verdura campana, sono l'infiorescenza appena sviluppata delle cime di rapa; hanno un gusto amarognolo.*

CANNELLONE CROCCANTE

INGREDIENTI

400 g di mozzarella
1 rotolo di pasta fillo
3 zucchine
300 g di patate
capperi sotto sale
olive di Gaeta
maggiorana fresca
olio
sale
pepe

PREPARAZIONE: 30 MINUTI
COTTURA: 10 MINUTI

Saltate per 2 minuti in una padella con un filo di olio 2 zucchine tagliate finemente. Lessate le patate e dopo averle fatte raffreddare sbucciatele e schiacciatele con una forchetta. Unite le zucchine e regolate di sale e di pepe.

Stendete la pasta fillo e ricavate 12 quadrati di circa 10 centimetri di lato. Disponete il composto di patate e zucchine al centro di ogni quadrato e arrotolate i cannelloni. Tagliate a strisce la mozzarella e disponetela sui cannelloni. Sistemateli in una pirofila e passate in forno già caldo a 180° per 4-5 minuti.

Serviteli caldi, accompagnando con la zucchina restante tagliata a julienne, un battuto di capperi dissalati e olive, e della maggiorana.

CAPRESE AL BICCHIERE

INGREDIENTI

400 g di mozzarella
500 g di pomodori del Pendolo
100 g di basilico
50 g di Grana Padano grattugiato
30 g di pinoli
1 scalogno
1 cucchiaio di farina di tapioca
50 g di pane tostato a dadini
olio
sale
pepe

PREPARAZIONE: 30 MINUTI
COTTURA: 15 MINUTI

■

Mondate e lavate il basilico, immergendolo in acqua bollente prima e passandolo velocemente in acqua e ghiaccio poi. Strizzate e inserite nel frullatore termico o in un frullatore normale con il Grana Padano, i pinoli, dell'olio, un pizzico di sale e uno di pepe. Dopo aver frullato passate il composto con un passino fine e lasciatelo riposare in frigorifero.

Lavate e mondate i pomodori, tagliateli a metà e grigliateli dalla parte della buccia. Appena si è annerita, eliminatela dai pomodori.

In una padella aromatizzate dell'olio con lo scalogno per un minuto e lasciate raffreddare, poi frullate il pomodoro con l'olio aromatizzato e un pizzico di sale. Passate con un passino fine e lasciate in frigorifero.

Tagliate e frullate la mozzarella, passate con un passino e mettete in una padella tutto il latte fuoriuscito (la polpa potete utilizzarla per altre preparazioni al forno). Riscaldate il latticello e aiutandovi con una frusta aggiungete la farina di tapioca in modo da far addensare il latte.

Versate la salsa di basilico, il latte di mozzarella e la salsa grigliata di pomodori in un bicchiere o in una coppa Martini. Decorate con i crostini di pane e servite.

CAPRESE IN CARROZZA AL CUSCUS

INGREDIENTI

250 g di mozzarella

3 pomodori ramati

150 g di cuscus

200 ml di acqua

3 uova

80 g di farina di riso

6 dl di olio di semi di arachidi

sale

pepe

PREPARAZIONE: 40 MINUTI

COTTURA: 4 MINUTI

Lavate i pomodori e tagliateli nel senso della larghezza in 8 fette spesse un centimetro circa. Distribuitele su una gratella, salatele e lasciatele così per 15 minuti, in modo che perdano l'acqua di vegetazione. Tamponate poi con carta assorbente da cucina e tenetele da parte.

In una padella antiaderente tostate il cuscus per alcuni minuti, poi bagnate con l'acqua bollente in modo da farlo gonfiare. Aiutandovi con una forchetta di silicone, sgranate il cuscus che deve risultare croccante.

Tagliate la mozzarella in 4 fette (se è fresca di giornata, pressatela leggermente in modo da far fuoriuscire il latticello).

In una ciotola sbattete le uova e regolate di sale e di pepe. Posizionate una fetta di mozzarella tra 2 fette di pomodoro e passate prima nella farina di riso, poi nelle uova e infine nel cuscus sgranato. Ripetete per due volte. Friggete le capresi immergendole nell'olio bollente, scolatele con una schiumarola quando saranno dorate uniformemente e servitele subito.

CARCIOFI E MOZZARELLA

INGREDIENTI

300 g di mozzarella

12 carciofi

il succo di 1 limone

farina

1 mazzetto di prezzemolo

50 g di burro

50 g di grana grattugiato

sale

pepe

PREPARAZIONE: 20 MINUTI

COTTURA: 30 MINUTI

Lavate e mondate i carciofi asportando la parte esterna più dura e le spine. Tenete solo i cuori dei carciofi e tuffateli per qualche minuto in acqua acidulata con il succo di limone cui avrete aggiunto un pugno di farina. Scolateli, sbollentateli per qualche minuto in acqua salata e fateli sgocciolare.

Tagliate a fettine la mozzarella e tritate finemente il prezzemolo. In un tegame imburrato formate uno strato di carciofi e uno di mozzarella, cospargete di grana e di prezzemolo e completate con il burro a fiocchetti. Gratinate in forno per 30 minuti a 160°.

CARCIOFI RIPIENI

INGREDIENTI

125 g di mozzarella

4 carciofi

il succo di 1 limone

100 g di grana grattugiato

1 uovo

2 cucchiai di pangrattato (*vedi* pag. 12)

1 presa di prezzemolo tritato

4 filetti di acciuga

olio

sale

pepe

PREPARAZIONE: 30 MINUTI

COTTURA: 30 MINUTI

Mondate e lavate i carciofi. Allargateli per poter togliere le barbe e lasciateli a bagno in una ciotola con acqua acidulata con il succo di limone.

Strizzate la mozzarella (o meglio utilizzate la mozzarella di qualche giorno messa in frigorifero senza il liquido di governo) e tagliatela grossolanamente a dadini.

In una ciotola mescolate la mozzarella, il grana, l'uovo sbattuto, il pangrattato e il prezzemolo. Salate, pepate e amalgamate il composto.

Scolate i carciofi e asciugateli, quindi farciteli con il composto e infine mettetevi sopra un filetto di acciuga. Sistemate i carciofi in una pentola riempita per metà di acqua. Irrorate con poco olio e fate cuocere a fuoco moderato e a pentola coperta per 15 minuti. Successivamente trasferite i carciofi in forno a 180° per completare la cottura (ci vorranno circa 10-15 minuti).

CORONA DI SARAGO PANZANELLA
E MOZZARELLA

INGREDIENTI ▬

PER IL SARAGO
2 saraghi da 500 g l'uno
250 ml di vino bianco
olio
sale
pepe

PER LA PANZANELLA
120 g di mozzarella
4 fette di pane (meglio se raffermo)
50 g di succo di limone filtrato
20 g di aceto di vino bianco
1 cipolla rossa
2 coste di sedano
2 pomodori
1 mazzetto di basilico
olio
sale
pepe

PREPARAZIONE: 30 MINUTI
COTTURA: 4 MINUTI

PER LA PANZANELLA: mettete le fette di pane raffermo in una ciotola con poca acqua, il succo di limone e l'aceto e fatele ammorbidire per 20 minuti circa; dopodiché strizzatele bene e sbriciolatele in un'insalatiera. Tagliate a fettine sottili la cipolla e il sedano. Riducete i pomodori a cubetti non troppo grandi. Unite le verdure al pane e mescolate bene con le mani per fare insaporire. Aggiungete dell'olio, il sale e qualche foglia di basilico e mescolate ancora. Tagliate a dadini la mozzarella, strizzatela e raccogliete il latticello in una ciotola, quindi aggiungete la mozzarella alla panzanella.

PER IL SARAGO: squamate e sfilettate il pesce. Con una pinzetta privatelo delle spine, ma non eliminate la pelle. In un piatto da portata fate marinare per 10 minuti i filetti di pesce con dell'olio, il vino, circa 20 ml del latticello della mozzarella tenuto da parte, il sale e il pepe.
Posizionate "a giro" il pesce in quattro stampini di alluminio, lasciando la pelle all'esterno. Al centro inserite la panzanella preparata in precedenza. Infornate per 4 minuti a 140°. Estraete il pesce dallo stampino e posizionate le corone di pesce al centro dei piatti individuali.

COSCETTE DI POLLO MELANZANE E MOZZARELLA

INGREDIENTI

100 g di mozzarella

4 cosce di pollo da 120 g l'una

400 g di melanzane

10 foglie di basilico

2 tuorli

4 radici di liquirizia

1 bicchiere di vino bianco secco

1 pomodoro maturo da 150 g

2 dl di brodo di pollo

peperoncino piccante

olio aromatizzato allo scalogno (*vedi* pag. 34)

olio

sale

pepe

PREPARAZIONE: 30 MINUTI

COTTURA: 30 MINUTI

Disossate con cura le cosce di pollo. Sbucciate le melanzane e tagliatele a cubetti, quindi saltatele in padella con dell'olio aromatizzato allo scalogno, salate e pepate. Scolate l'olio in eccesso e lasciate raffreddare.

Unite alle melanzane la mozzarella a dadini, il basilico spezzettato e i tuorli. Farcite con questo impasto le cosce di pollo e chiudete ciascuna in un foglio di alluminio per alimenti, posizionando le radici di liquirizia al centro a mo' di osso.

In un tegame scaldate un filo di olio e rosolatevi uniformemente le cosce di pollo leggermente salate. Sgrassate il tegame prima di bagnare con il vino bianco e aggiungete il pomodoro tagliato a cubetti. Coprite e continuate la cottura bagnando con il brodo di pollo.

A cottura ultimata delle coscette, posizionatele in un piatto e fate ridurre il fondo di cottura, aggiustando di sale se è necessario e aggiungendo del peperoncino piccante a piacere.

CREMA DI POMODORO

INGREDIENTI

300 g di mozzarella
8 pomodori ramati
8 foglie di basilico
4 olive nere
1 cucchiaino di olio aromatizzato all'aglio
olio di semi di arachidi
olio
sale
pepe

PREPARAZIONE: 20 MINUTI
COTTURA: 10 MINUTI

Scottate per pochi secondi in acqua bollente i pomodori, precedentemente lavati e segnati a croce sul fondo con un coltellino. Immergeteli in acqua fredda con ghiaccio e sbucciateli. Dividete ogni pomodoro in 8 spicchi e privateli dei semi. Frullate in un mixer gli spicchi di pomodoro e passate il composto attraverso un setaccio fine.

In un padellino intiepidite la crema di pomodoro, aggiustate di sale e pepe e aggiungete l'olio aromatizzato all'aglio.

Tagliate a cubetti la mozzarella. Friggete il basilico in olio di semi di arachidi caldissimo.

Suddividete in 4 fondine il passato di pomodoro, posizionatevi su i dadini di mozzarella, il basilico fritto e le olive nere private del nocciolo. Completate i piatti con un filo di olio.

NOTA *Per ottenere l'olio aromatizzato all'aglio, basta lasciar macerare uno spicchio di aglio tagliato a pezzetti per un giorno con l'olio. Potete aromatizzare l'olio anche con scalogno o altri ingredienti, seguendo lo stesso procedimento.*

COZZE GRATINATE ALLA MOZZARELLA

INGREDIENTI

400 g di mozzarella congelata
1,5 kg di cozze
2 spicchi di aglio
50 ml di vino bianco secco
pangrattato
origano
olio

PREPARAZIONE: 40 MINUTI
COTTURA: 14 MINUTI

■

Pulite le cozze eliminando la barbetta che fuoriesce e raschiate il guscio sotto l'acqua corrente in modo da eliminare tutte le impurità.

In una padella antiaderente fate rosolare con un filo di olio l'aglio appena schiacciato, poi aggiungete le cozze. Appena inizieranno a schiudersi sfumate con il vino e coprite. Quando saranno aperte lasciatele cuocere per qualche minuto, in modo che il sugo si insaporisca. Toglietele dalla padella ed eliminate la parte "vuota" del guscio. Sistemate i mezzi gusci con il mollusco in una teglia e grattugiate la mozzarella su ognuno. Mescolate origano e pangrattato. Scaldate dell'olio in un padellino e, appena caldo, aggiungete il pangrattato con l'origano e togliete dal fuoco. Lasciate assorbire e raffreddare.

Spolverate con pochissimo pangrattato le cozze e fatele cuocere per 3 minuti in forno preriscaldato a 160°.

NOTA Per tagliare al meglio la mozzarella a fette, oppure per grattugiarla, toglietela dal liquido di governo e congelatela.
Quindi, aiutandovi con un'affettatrice, oppure a mano, tagliate la mozzarella congelata in fette sottili. L'operazione risulterà più semplice e precisa. Allo stesso modo, aiutandovi con una grattugia, potrete grattugiarla senza che si sfilacci o si sfaldi.

CROCCHETTE DI PATATE FILANTI

INGREDIENTI

200 g di mozzarella
500 g di patate
2 rametti di maggiorana
2 uova
20 g di Parmigiano-Reggiano grattugiato
noce moscata
farina
pangrattato (*vedi* pag. 12)
olio di semi di arachidi
sale
pepe

PREPARAZIONE: 40 MINUTI
COTTURA: 50 MINUTI

Spazzolate le patate, pulitele con un canovaccio umido e mettetele in una casseruola con abbondante acqua fredda salata. Cuocetele per circa 40 minuti dal momento dell'ebollizione. Scolatele, sbucciatele e passatele con lo schiacciapatate.

Mescolate il purè ottenuto con un pizzico di sale, le foglioline di maggiorana, i tuorli, il Parmigiano-Reggiano e una grattata di noce moscata.

Formate delle crocchette cilindriche e farcite ognuna con un cubetto di mozzarella ben strizzata. Passate le crocchette prima nella farina, poi negli albumi leggermente sbattuti e infine nel pangrattato.

Friggete le crocchette in abbondante olio ben caldo per 3 o 4 minuti. Scolatele quando saranno dorate, fatele asciugare su più fogli di carta assorbente da cucina e servite subito.

CROCCHETTE DI PATATE

INGREDIENTI

200 g di mozzarella

350 g di patate a pasta gialla

3 uova

60 g di pistacchi sgusciati

100 g di salumi misti

farina

pane in cassetta

olio di semi di arachidi

sale

pepe

PREPARAZIONE: 45 MINUTI

COTTURA: 35 MINUTI

Bollite le patate con la buccia in acqua fredda salata e scolatele quando saranno tenere. Sbucciatele e schiacciatele in una terrina; unite la mozzarella tagliata a dadini, poco sale, pepe, i tuorli, i pistacchi e i salumi tritati. Impastate il tutto e lasciate raffreddare in frigorifero per 30 minuti circa.

Con il composto create delle palline grandi come una noce, passatele nella farina, poi negli albumi sbattuti e infine nel pane in cassetta precedentemente tritato al mixer (o, in alternativa, del pangrattato). Friggete le crocchette in abbondante olio di semi di arachidi caldo e scolate su carta assorbente da cucina. Servitele subito.

FAGOTTINI DI RADICCHIO

INGREDIENTI

300 g di mozzarella
12 foglie di radicchio rosso
400 g di fave surgelate
1 spicchio di aglio
aceto
1 rametto di rosmarino
olio
sale
pepe

PREPARAZIONE: 20 MINUTI
COTTURA: 10 MINUTI

Lessate le fave e privatele della pellicina, quindi ripassatele in padella con poco olio, l'aglio e un pizzico di rosmarino tritato. Fate insaporire per qualche istante, poi passate nel mixer e riducete in crema. Regolate di sale e di pepe.

Scottate le foglie di radicchio in acqua bollente acidulata con dell'aceto, quindi scolatele e asciugatele su carta assorbente da cucina.

Stendete su un tagliere 3 foglie di radicchio per volta, sovrapponendole leggermente.

Distribuite al centro un po' di purea di fave e 2 fette ben strizzate e tritate di mozzarella, quindi ripiegate le foglie in modo da formare dei fagottini. Fateli insaporire in padella per 4-5 minuti con poco olio e qualche ciuffetto di rosmarino e serviteli subito.

FARRO, CALAMARETTI E MOZZARELLA

INGREDIENTI

400 g di mozzarella
200 g di farro perlato
4 calamaretti
3 pomodori
120 g di piselli lessati
olio
sale
pepe

PREPARAZIONE: 30 MINUTI
COTTURA: 34 MINUTI

Bollite il farro in acqua bollente per 30 minuti circa e salate solo a cottura quasi ultimata. Scolate e lasciate raffreddare il farro dopo averlo condito con un filo di olio.

Nel frattempo, tagliate a cubetti i pomodori, dopo averli privati dei semi. Tagliate a straccetti la mozzarella e scolate i piselli. Unite il tutto al farro. Pulite i calamaretti e saltateli in padella con un filo di olio per 4 minuti a fuoco vivo. Tagliateli a pezzi e uniteli all'insalata, quindi aggiustate di sale e di pepe e servite.

A piacere, completate con la scorza di un limone non trattato grattugiata direttamente nel piatto.

FINOCCHI E MOZZARELLA AFFUMICATA

INGREDIENTI

300 g di mozzarella affumicata
4 finocchi di media grandezza
80 g di burro
2 dl di panna
30 g di Grana Padano grattugiato
sale
pepe

PREPARAZIONE: 20 MINUTI
COTTURA: 10 MINUTI

Pulite i finocchi, lavateli e tagliateli a spicchi. Lessateli in acqua salata per 30 minuti. Scolateli e fateli rosolare in 40 g di burro. Regolate di sale e spolverizzate con il pepe.

Adagiate i finocchi in una pirofila ben imburrata, sistematevi sopra la mozzarella affumicata e ricoprite con la panna, il Grana Padano e il burro rimanente. Fate cuocere in forno preriscaldato a 200° per 10 minuti. Servite subito.

FIORI DI ZUCCHINE SPECK
E MOZZARELLA

INGREDIENTI

200 g di mozzarella
12 fiori di zucchina
50 g di speck
150 g di farina
2 uova
1 dl di acqua
120 g di ricotta
30 g di erba cipollina
olio di semi di arachidi
sale
pepe

PREPARAZIONE: 30 MINUTI
COTTURA: 5 MINUTI

Mondate i fiori di zucchina con le mani o con un coltellino, privandoli del gambo e del pistillo. Eliminate le parti spinose rimaste attaccate al fiore, quindi sciacquateli e asciugateli.

Preparate la pastella disponendo in una terrina la farina setacciata; versate al centro le uova e iniziate a lavorare con una forchetta incorporando poco per volta la farina. Aggiungete l'acqua, il sale e il pepe a piacere. Mescolate fino a ottenere un composto omogeneo.

Tagliate la mozzarella a cubetti e lo speck a dadini, poi incorporateli alla ricotta, salata e pepata e ammorbidita con una forchetta, e mescolate tutti gli ingredienti. Farcite i fiori con il composto, aiutandovi con un cucchiaino.

Riscaldate l'olio, tuffate i fiori nella pastella e friggeteli. Appena saranno dorati asciugateli su carta assorbente da cucina e salateli. Serviteli ben caldi.

FRITTATA ZAFFERANO E MOZZARELLA

INGREDIENTI

200 g di mozzarella

7 uova

zafferano in pistilli

2 pomodori cuore di bue

1 costa di sedano

1/2 cipolla rossa

30 g di succo di limone filtrato

20 g di aceto

3 cucchiai di Parmigiano-Reggiano grattugiato

1 mazzetto di erba cipollina

40 g di burro

4 cucchiai di olio

sale

pepe

PREPARAZIONE: 20 MINUTI

COTTURA: 10 MINUTI

Lavate e mondate i pomodori, il sedano e la cipolla. Tagliateli a spicchi e sistemateli in una ciotola, conditi con l'olio, un pizzico di sale, il succo di limone e l'aceto. Lasciate insaporire in frigorifero. Tagliate la mozzarella a dadini.

Sbattete le uova e aggiungete un pizzico di pistilli di zafferano, poi incorporate il Parmigiano-Reggiano, un pizzico di sale, uno di pepe e l'erba cipollina tritata finemente. Unite infine la mozzarella e mescolate.

Sciogliete il burro nella padella e quando sarà caldo versatevi il composto. Fate rapprendere e staccate i bordi aiutandovi con un cucchiaio di legno. Girate la frittata aiutandovi con un piatto. Servitela caldissima, accompagnata con l'insalata di pomodori.

FUNGHI PORCINI E MOZZARELLA

INGREDIENTI

400 g di mozzarella

300 g di funghi porcini

1 spicchio di aglio

1 mazzetto di basilico

riduzione di aceto balsamico

olio

sale

pepe in grani

PREPARAZIONE: 20 MINUTI

COTTURA: 15 MINUTI

■

Mondate accuratamente e spazzolate i funghi, poi affettateli per il lungo.

In una padella fate soffriggere dell'olio con l'aglio e cuocete i funghi aggiungendo qualche foglia di basilico spezzettata, un pizzico di sale e una macinata di pepe. Dopo 15 minuti saranno pronti.

Impiattate alternando i funghi con fette di mozzarella. Infine, condite con la riduzione di aceto balsamico e servite.

NOTA Questi sono gli ingredienti per ottenere la riduzione di aceto balsamico: 300 ml di aceto balsamico non tradizionale, chiodi di garofano, una stecca di cannella, un cucchiaio di miele. In una casseruola fate riscaldare l'aceto, la cannella e i chiodi di garofano; alla fine aggiungete il miele e lasciate a fuoco bassissimo fino a quando il volume non si riduce della metà. Lasciate raffreddare e utilizzate con olio, sale e pepe.

GAZPACHO

INGREDIENTI

200 g di mozzarella

100 g di mollica di pane raffermo

50 g di aceto di vino bianco

600 g di pomodori non troppo maturi

1 peperone verde

1/2 peperone rosso

100 g di cipolla rossa

1 spicchio di aglio

150 g di cetrioli

1 ciuffo di basilico

50 ml di olio

sale

pepe

PREPARAZIONE: 2 ORE E 40 MINUTI

COTTURA: 4 MINUTI

Spezzettate il pane e mettetelo ad ammorbidire in una ciotola con dell'acqua fredda e l'aceto per qualche istante.

Mondate e lavate i pomodori, immergeteli in una pentola con acqua bollente, scolateli e sbucciateli. Separate i semi dalla polpa.

Mondate e lavate i peperoni, quindi tagliateli a pezzi; procedete allo stesso modo per la cipolla, l'aglio e i cetrioli. Passate tutte le verdure in un mixer con un pizzico di sale e uno di pepe.

Unite, poco per volta, il pane ammollato e strizzato e l'olio versato a filo. Frullate fino a quando il composto non risulterà liscio e omogeneo. Fate riposare in frigorifero per almeno 2 ore.

Strizzate la mozzarella e tritatela molto finemente. Versate il gazpacho in 4 fondine, aggiungete una cucchiaiata di trito di mozzarella e profumate con qualche foglia di basilico.

GAMBERI LIMONE E MOZZARELLA

INGREDIENTI

400 g di mozzarella
700 g di gamberi rossi di media misura
2 limoni
20 foglie di basilico
2 cucchiai di olio
sale
pepe

PREPARAZIONE: 30 MINUTI
ATTREZZATURA: STAMPO DI FORMA CILINDRICA

Pulite i gamberi privandoli del guscio e della testa; eliminate il budellino intestinale nero.

In una ciotola emulsionate l'olio, il succo dei limoni e il liquido che fuoriesce dalle teste dei gamberi pressandoli leggermente, sale e pepe. Ricoprite i gamberi con la marinata e lasciateli riposare per 15 minuti.

Tagliate la mozzarella a fette e con uno stampo di forma cilindrica formate in ogni piatto individuale due strati di gamberi e due di mozzarella, alternandoli tra loro.

Montate con una frusta il succo della marinata, suddividetelo nei piatti e guarnite ognuno con 5 foglie di basilico.

GAMBERI RISO E BOCCONCINI

INGREDIENTI

4 bocconcini di mozzarella da 30 g l'uno
100 g di riso Basmati
150 g di code di gambero sgusciate a crudo
250 ml di acqua
1 foglia di alloro
1 albume
salsa di soia
vino cinese
riso Originario
aceto cinese di riso
olio
sale

PREPARAZIONE: 40 MINUTI
COTTURA: 1 ORA

Mettete il riso Basmati in una casseruola con l'acqua fredda, un pizzico di sale e l'alloro e chiudete con il coperchio; portate su fuoco moderato e fatelo cuocere finché tutto il liquido non sarà stato assorbito.

Lasciate raffreddare il riso, quindi mescolatelo con le code di gambero tritate grossolanamente a mano, l'albume, uno spruzzo di salsa di soia, un cucchiaino di vino e pochissimo sale (perché la salsa di soia è piuttosto forte).

Prendete piccole porzioni di riso tra le mani inumidite con vino cinese, formate 4 polpettine, passatele nel riso Originario crudo, in modo che ne vengano rivestite, quindi sistematele negli appositi cestelli spennellati con olio e fatele cuocere a vapore per 30 minuti circa, o finché il riso di rivestimento non risulterà morbido.

Servite le polpettine tiepide, sistemando sopra ciascuna un bocconcino di mozzarella; accompagnatele con una salsa ottenuta mescolando 3 cucchiai di salsa di soia con altrettanti di vino e di aceto cinesi.

GAMBERONI E MOZZARELLA
IN PASTA KATAIFI

INGREDIENTI

100 g di mozzarella
8 gamberoni
100 g di pasta kataifi
5 dl di olio di semi di arachidi

PREPARAZIONE: 15 MINUTI
COTTURA: 3 MINUTI

Private i gamberoni del carapace, della testa e della coda. Lavateli bene sotto l'acqua corrente, eliminando anche il budellino nero del dorso.
Strizzate la mozzarella e tagliatela in 8 rettangoli, tenendo conto della lunghezza dei gamberoni.
Aprite la pasta kataifi e allargatela un pochino. Abbinate un gambero e un rettangolo di mozzarella e rivestiteli facendo più giri con ciuffi di pasta kataifi.
In una padella fate scaldare l'olio di arachidi e tuffatevi gli involtini. Cuocete per pochi istanti girandoli, scolateli e fateli asciugare su carta assorbente da cucina. Serviteli tiepidi.

GATTÒ NAPOLETANO

INGREDIENTI

1 mozzarella da 150 g
1 mozzarella affumicata da 150 g
800 g di patate
100 g di prosciutto cotto
50 g di salame napoletano
1 tazza di latte
120 g di burro
50 g di Parmigiano-Reggiano grattugiato
50 g di pangrattato (*vedi* pag. 12)
sale
pepe

PREPARAZIONE: 50 MINUTI
COTTURA: 20 MINUTI

In una pentola grande portate a bollore l'acqua con poco sale. Tuffatevi le patate e fatele cuocere per circa 35-40 minuti o finché la forchetta non si infilzerà agevolmente all'interno.

Nel frattempo, schiacciate bene le mozzarelle per far fuoriuscire il latticello in eccesso e poi tagliatele a dadini. Tagliate a striscioline il prosciutto cotto e il salame.

Una volta cotte le patate, sbucciatele e riducetele in purè con lo schiacciapatate; salate, pepate e aggiungete il latte tiepido, 60 g di burro e il Parmigiano-Reggiano. Amalgamate bene.

Imburrate una teglia e versate metà del composto, coprendo tutta la superficie. Cospargete di mozzarella, prosciutto e salame, quindi aggiungete la restante parte di purè di patate.

Distribuite dei fiocchetti di burro sulla superficie e spolverate con il pangrattato. Cuocete in forno preriscaldato a 190° per 20 minuti.

GIRELLA GIALLO ZAFFERANO

INGREDIENTI

300 g di mozzarella affumicata

6 uova

15 pistilli di zafferano

50 g di pecorino grattugiato

80 g di ricotta

20 g di rucola

120 g di prosciutto crudo

olio

sale

pepe

PREPARAZIONE: 2 ORE

COTTURA: 15 MINUTI

▬

Mettete i pistilli di zafferano per circa un'ora in una tazzina da caffè riempita con acqua tiepida. Foderate una teglia con carta da forno, che cospargerete poi di olio.

Sbattete le uova e incorporatevi il pecorino e lo zafferano; salate e pepate. Versate il composto nella teglia e cuocete in forno preriscaldato a 180° per 15 minuti.

Quando la frittata sarà cotta, estraetela dalla teglia, togliete la carta da forno e adagiatela su un tagliere. Fatela intiepidire, poi spalmatela con la ricotta; tagliate la mozzarella dopo averla strizzata e sistemate le fette su tutta la frittata. Aggiungete la rucola ben distribuita e alla fine le fette di prosciutto. Arrotolate la frittata ben stretta nella pellicola per alimenti e conservate in frigorifero per un'ora.

Togliete la pellicola, tagliate a fette la girella e distribuite le fette su un piatto da portata.

GNOCCHI ALLA MASTUNICOLA

INGREDIENTI

200 g di mozzarella a dadini

320 g di gnocchi di pasta secca
(pasta secca di Casa Barone)

80 g di lardo di maiale nero casertano

20 g di grana grattugiato

80 g di conciato romano grattugiato

70 g di basilico fresco

100 g di pizza secca grattugiata

sale

pepe in grani

PREPARAZIONE: 20 MINUTI

COTTURA: 23 MINUTI

Fate o acquistate della pasta lievitata con lievito naturale, stendetela e lasciate asciugare al forno a 200° per 8 minuti, o fino a quando non diventa croccante, poi grattugiatela.

Cucinate in abbondante acqua gli gnocchi.

In una padella, a fuoco basso, lasciate appassire il lardo e aggiungete un mestolo dell'acqua di cottura degli gnocchi. Incorporate la metà dei formaggi e lasciateli sciogliere.

Lavate bene le foglie di basilico. Scolate la pasta al dente e versatela nella padella con il lardo. Saltatela e aggiungete la restante parte dei formaggi, la mozzarella a dadini, il basilico spezzettato a mano e una generosa macinata di pepe. Impiattate e cospargetevi sopra la pizza secca.

GNOCCHI SORRENTO

INGREDIENTI

150 g di mozzarella

8 bocconcini di mozzarella da 30 g l'uno

500 g di ricotta

120 g di grana grattugiato

2 uova medie

1/4 di noce moscata grattugiata

250 g di farina

1 spicchio di aglio

400 g di passata di pomodoro

20 foglie di basilico

100 g di salsa al pesto

olio

sale

pepe

PREPARAZIONE: 1 ORA

COTTURA: 30 MINUTI

Ponete la ricotta in un colino, lasciatela sgocciolare per 10 minuti e passatela al setaccio.

In una ciotola capiente riunite la ricotta setacciata, metà del grana, le uova, la noce moscata e la farina setacciata. Amalgamate il tutto, quindi trasferite l'impasto su una spianatoia infarinata. Nel frattempo in una padella fate rosolare l'aglio con un filo di olio; aggiungete la passata e un pizzico di sale. Lasciate cuocere per 10 minuti. A fuoco spento spezzettatevi la metà del basilico. Tagliate a dadini minuti la mozzarella.

Formate dei bastoncini del diametro di 3 cm con l'impasto, tagliateli a pezzetti lunghi 2 cm, lessateli in acqua salata e scolateli appena iniziano a salire. Condite con la salsa di pomodoro, dell'olio, il rimanente grana e la mozzarella a dadini.

Versate in una pirofila da forno e cuocete per 15 minuti a 170°. Sfornate e distribuite sulla superficie i bocconcini di mozzarella interi, il pesto e la restante parte del basilico spezzettato a mano. Infornate per altri 5 minuti.

GNOCCHI DI SEPPIA E MOZZARELLA ALLE VONGOLE

INGREDIENTI

300 g di mozzarella

500 g di seppie pulite

700 g di vongole già spurgate

50 g di ricotta

la scorza grattugiata di 1/2 limone

120 g di semola fine

1 spicchio di aglio

peperoncino piccante

olio

sale

pepe

PREPARAZIONE: 40 MINUTI

COTTURA: 15 MINUTI

Frullate la mozzarella, precedentemente strizzata, assieme alle seppie e alla ricotta. Quando il composto è cremoso e omogeneo, unite la scorza di limone e la semola. Regolate di sale e pepe. Con l'impasto ottenuto formate degli gnocchi grandi quanto una noce.

In una padella scaldate un filo di olio e rosolatevi lo spicchio di aglio schiacciato. Unite le vongole, fatele aprire e aggiungete a piacere un pizzico di peperoncino. Sgusciate la metà delle vongole e filtrate il fondo di cottura; tenete in caldo l'altra metà non sgusciata.

Tuffate gli gnocchi in abbondante acqua salata e scolateli appena iniziano a risalire. Saltate gli gnocchi con le vongole sgusciate e con il fondo di cottura filtrato.

Disponete al centro di ogni piatto una porzione di gnocchi e guarnite con le vongole non sgusciate tenute da parte.

GRATIN DI BUFALA TARTUFO BIANCO E TONNO

INGREDIENTI

300 g di mozzarella
60 g di tartufo bianco
1 trancia di tonno fresco da 180 g
60 g di Parmigiano-Reggiano grattugiato
200 g di broccoletti
olio
sale
pepe

PREPARAZIONE: 30 MINUTI
COTTURA: 10 MINUTI

—

Tagliate la mozzarella a cubetti e gratinateli in forno con il Parmigiano-Reggiano.

A parte, sbollentate al dente i broccoletti in acqua salata e spadellateli con un filo di olio, un pizzico di sale e uno di pepe.

Tagliate il tonno crudo a fettine sottili e adagiatele nei piatti. Disponetevi sopra i cubetti di mozzarella e a lato le cime dei broccoletti. Irrorate con un filo di olio e cospargete con scaglie di tartufo.

MANFREDINE DI GRAGNANO

INGREDIENTI

300 g di mozzarella

320 g di manfredine di Gragnano

500 g di pomodorini ciliegia

2 spicchi di aglio

1 ciuffo di basilico

peperoncino piccante in polvere

cannella in polvere

5 cucchiai di olio

sale

PREPARAZIONE: 15 MINUTI

COTTURA: 15 MINUTI

Lavate accuratamente i pomodorini sotto l'acqua corrente e asciugateli con carta assorbente da cucina. Tagliate i più grossi a metà e lasciate interi i più piccoli.

Sbucciate gli spicchi d'aglio e schiacciateli leggermente. Lavate e asciugate bene le foglioline di basilico e tritateli molto finemente.

Scaldate l'olio a fiamma vivace in una larga padella, aggiungete l'aglio e i pomodorini e fateli saltare per circa 5 minuti. Spegnete, salate, aggiungete un pizzico di peperoncino e uno di cannella e mescolate.

Tagliate la mozzarella a cubetti regolari e tenetela da parte.

Portate a bollore abbondante acqua, salatela e cuocete le manfredine. Scolatele al dente e conditele con il sugo preparato. Aggiungete il trito di basilico, mescolate bene per far insaporire il tutto, disponete la pasta nei piatti individuali e distribuitevi la mozzarella che, con il calore della pasta, tenderà a fondere leggermente.

INSALATA CERFOGLIO E NOCCIOLE

INGREDIENTI

600 g di mozzarella
50 g di cerfoglio
120 g di nocciole
300 g di valerianella
olio
sale

PREPARAZIONE: 10 MINUTI
COTTURA: 2 MINUTI

Riducete in polvere le nocciole aiutandovi con un mortaio. Tagliate la mozzarella a dadini e rotolateli nella polvere di nocciole. Grigliateli in forno per circa 2 minuti a 160°.

Lavate e asciugate la valerianella e il cerfoglio, adagiateli nel piatto e appoggiatevi sopra i dadini di mozzarella appena gratinati. Condite con un filo di olio, regolate di sale e servite.

INSALATA DI CRESCIONE
UOVA DI QUAGLIA E MOZZARELLA

INGREDIENTI

200 g di bocconcini di mozzarella
500 g di crescione fresco
12 uova di quaglia
200 g di champignon
1 cucchiaio di aceto di mele
4 cucchiai di olio
sale
pepe

PREPARAZIONE: 10 MINUTI
COTTURA: 5 MINUTI

Lavate accuratamente il crescione in acqua fredda e asciugatelo.

Nel frattempo, fate cuocere le uova di quaglia in acqua bollente per 5 minuti e poi raffreddatele in acqua fredda; sgusciatele e tagliatele a metà.

Mondate i funghi e, aiutandovi con una mandolina, tagliateli finemente.

Riunite in un'insalatiera i bocconcini di mozzarella e tutti gli altri ingredienti preparati. Condite con l'olio e l'aceto, e regolate di sale e pepe.

INVOLTINI DI PEPERONI

INGREDIENTI

80 g di mozzarella

2 peperoni lunghi

2 cucchiai di pangrattato (*vedi* pag. 12)

60 g di Parmigiano-Reggiano grattugiato

10 capperi sotto sale

1 acciuga sotto sale

50 g di salsa di pomodoro

qualche foglia di basilico

olio aromatizzato all'aglio (*vedi* pag. 34)

olio

sale

pepe

PREPARAZIONE: 15 MINUTI

COTTURA: 40 MINUTI

Arrostite i peperoni sulla griglia. Chiudeteli in un sacchetto per alimenti in modo da facilitare l'eliminazione della buccia. Dopo alcuni minuti, sbucciateli, eliminate i semini e i filamenti bianchi e dividete ogni peperone in 4 falde.

In una terrina mescolate il pangrattato, il Parmigiano-Reggiano, i capperi dissalati, l'acciuga, la salsa di pomodoro (pochissima, quanta ne basta per inumidire e colorare il composto), la mozzarella a cubetti, il basilico spezzettato, un sottilissimo filo di olio aromatizzato all'aglio, sale e pepe. Dovete ottenere un composto umido.

Disponete su ogni falda un po' di composto e avvolgetela su se stessa, ottenendo un rotolino. Disponete gli involtini in una teglia da forno, bagnateli con un filo di olio e passateli in forno a 180° per 5-7 minuti, giusto il tempo di farli compattare leggermente. Sono ottimi mangiati sia tiepidi sia freddi.

KEBABÀ

INGREDIENTI

PER IL BABÀ

500 g di farina

5-7 g di lievito di birra

50 g di zucchero

2 uova

1 pizzico di zafferano sciolto nel latte

1 dl di latte

50 ml di olio

10 g di sale

PER LA FARCIA

320 g di mozzarella

120 ml di panna

20 g di zucchero vanigliato

200 g di pomodori ramati

50 ml di olio

origano

20 foglie di basilico

sale

pepe

PREPARAZIONE: 1 ORA E 10 MINUTI + IL TEMPO
DI LIEVITAZIONE
COTTURA: 20 MINUTI

PER IL BABÀ: impastate tutti gli ingredienti insieme, tranne il latte e l'olio. Alla fine incorporate il latte, poco per volta, fino a ottenere un impasto liscio e omogeneo. Lasciate riposare per 10 minuti. Nel frattempo ungete con l'olio 4 stampini classici cilindrici per babà alti 8 cm per 8 cm di diametro. Formate con l'impasto delle palline da 90 g l'una e inseritele nelle formine. Lasciate lievitare in un posto caldo, coprendo i babà con un telo. Quando l'impasto è lievitato e ha raggiunto tre volte il volume iniziale, infornate a 180° per 20 minuti, lasciando la valvola del forno aperta. Trascorso questo tempo, sformate subito, onde evitare che l'umidità delle formine venga assorbita dal panino babà.

PER LA FARCIA: nel frattempo, montate leggermente la panna e incorporatevi lo zucchero. Tagliate la mozzarella a striscioline e lasciatele in infusione nella panna per 10 minuti. Mondate e lavate i pomodori, incideteli a croce con un coltello e immergeteli in acqua bollente per un minuto. Sbucciateli, divideteli a metà e privateli dei semi. Frullate i pomodori con l'olio, un pizzico di origano e uno di sale e tenete da parte.
Dividete in due i babà e piastrate ciascuna metà su una griglia rovente. Spalmatele con la crema di pomodoro, distribuitevi la stracciata di mozzarella alla panna. Aggiungete le foglie di basilico e ancora un po' di crema, poi servite.

MELONE, ANGURIA, GAMBERI E BOCCONCINI

INGREDIENTI

8 bocconcini di mozzarella da 25 g l'uno
1 melone da 600 g
400 g di anguria
8 gamberi rossi congelati
1 mazzetto di aneto
400 g di fagiolini verdi
200 g di lattuga
il succo di 1 limone
erba cipollina
olio
sale
pepe

PREPARAZIONE: 20 MINUTI
COTTURA: 20 MINUTI

Pulite i gamberi, privateli della testa e della coda. Incideteli leggermente sul dorso ed eliminate il budellino nero. Sistemate 2 gamberi su 2 fogli sovrapposti di pellicola per alimenti cosparsa di olio, e insaporiteli con un pizzico di aneto sminuzzato e uno di sale. Battete leggermente con un batticarne e chiudete in modo da formare una sfera. Ripetete l'operazione per 4 volte e riponete le palline di gamberi in frigorifero.

Spuntate i fagiolini, lavateli, cuoceteli in acqua bollente salata e scolateli leggermente al dente (dopo circa 20 minuti). Mondate l'insalata, lavatela e sgocciolatela bene. Tagliate il melone a metà, eliminate i semi e con l'utensile apposito (uno scavino) prelevate delle palline di polpa. Dividete l'anguria e ripetete l'operazione fatta con il melone.

In una ciotola capiente condite la lattuga e i fagiolini con il limone, un cucchiaio di erba cipollina tagliuzzata, dell'aneto sminuzzato, olio, sale e pepe. Mescolate bene e suddividete in 4 ciotole, unendo i bocconcini di mozzarella e le palline di melone, di anguria e di gamberi.

MIGLIACCIO DI SEMOLA

INGREDIENTI

150 g di mozzarella
100 g di semola
300 ml di acqua
200 g di ricotta
3 uova
1/2 bicchiere di latte
olio
sale
pepe

PREPARAZIONE: 20 MINUTI
COTTURA: 30 MINUTI

Mettete a bollire l'acqua con poco olio e salate. Appena bolle versate la semola, poco per volta, e mescolate continuamente fino a quando non si addensa. Trasferite il composto in un recipiente e lasciatelo raffreddare.

Setacciate la ricotta. Tritate la mozzarella ben strizzata (o meglio utilizzate la mozzarella di qualche giorno tenuta in frigorifero senza liquido di governo). Unite la mozzarella e la ricotta alla semola, aggiungendo le uova e il latte. Mescolate fino a quando il composto non diventa omogeneo. Versate l'impasto in una teglia da forno. Cuocete a 180° per 20 minuti. Servite il migliaccio quando si è raffreddato completamente.

MONTANARE FILANTI

INGREDIENTI

PER L'IMPASTO

200 g di acqua di mozzatura con sfilacci di
mozzarella (la quantità varia a seconda
del tipo di farina)
400 g di farina 0
100 g di farina 00
olio di semi di arachidi
1 cucchiaino di sale

PER LA FARCIA

300 g di mozzarella
300 g di pomodori San Marzano
aglio
basilico
olio

PREPARAZIONE: 30 MINUTI + 12 ORE
DI LIEVITAZIONE
COTTURA: 30 MINUTI

PER LA FARCIA: sbollentate i pomodori, scolateli, sbucciateli con un coltello affilato ed eliminate le coste biancastre e i semi. Spezzettateli e metteteli in una ciotola. Scaldate un filo di olio in una casseruola antiaderente, rosolate l'aglio schiacciato, poi toglietelo. Aggiungete i pomodori e cuocete a fuoco dolce per 20 minuti con foglie di basilico a piacere. Alla fine, dovrete ottenere la consistenza di una crema densa; frullate, se volete. Non salate: avendo la mozzarella già nell'impasto risultano buone di sale.

PER L'IMPASTO: mettete la farina a fontana su una spianatoia e incorporate poco per volta l'acqua di mozzatura con sfilacci di mozzarella, aggiustando di sale se necessario. Impastate fino a ottenere un composto liscio e omogeneo, coprite e lasciate a una temperatura di 30° per 12 ore: l'impasto raddoppierà per mezzo della lievitazione lattica. Riprendete quindi l'impasto lievitato e formate delle sfere. Aprite l'impasto con le mani in modo da formare delle pizzette rotonde e friggetele in olio di semi di arachidi bollente.
Una volta fritte tutte le pizzette, conditele con il sugo di pomodoro preparato e con abbondante mozzarella a pezzetti, che con il calore della pizza fritta tenderà a filare.

MOZZARELLA ALLA PIZZAIOLA
SU PIADINA DI KAMUT

INGREDIENTI

200 g di mozzarella

2 bicchieri di passata di pomodoro

4 piadine di kamut

1 spicchio di aglio

origano

16 foglie di basilico

olio

sale

pepe

PREPARAZIONE: 10 MINUTI

COTTURA: 6 MINUTI

In una padella rosolate lo spicchio di aglio con un filo di olio. Versate la passata e lasciate cuocere fino a che il sugo non si sarà addensato. Regolate di sale e di pepe e aromatizzate con l'origano.

Tagliate la mozzarella a fette di un centimetro di spessore. Trasferitele nella padella con il sugo e fatele cuocere per un minuto, quindi spegnete e lasciatele raffreddare: la mozzarella si deve rapprendere.

In una padella antiaderente riscaldate le piadine da entrambi i lati. Sistematele nei piatti individuali, distribuitevi sopra la mozzarella alla pizzaiola e decorate con le foglie di basilico: avrà l'aspetto di una vera pizza.

MOZZARELLA E RÖSTI

INGREDIENTI

800 g di mozzarella tenuta in frigorifero
per 2 giorni (priva di liquido di governo)
4 patate gialle
1 peperone rosso arrostito
olio
sale
pepe

PREPARAZIONE: 40 MINUTI
COTTURA: 20 MINUTI

Sbucciate e grattugiate grossolanamente le patate con una grattugia da formaggio. Formate uno
strato di patate sul fondo di una padella antiaderente unta di olio e ben calda e cuocetele fino a
dorarle, poi giratele e terminate la cottura.

Private della buccia e dei semi il peperone e frul-
latelo in un mixer con un filo di olio, un pizzico
di sale e uno di pepe, in modo da ottenere una
crema densa. Tagliate a fette dello spessore di
1,5 cm circa la mozzarella.

Scaldate una padella antiaderente leggermente
oliata e fatevi cuocere le fette di mozzarella a
fiamma vivace, un minuto per parte, in modo che
si formi una crosta esterna, girandole con una
spatola liscia.

Alternate nei piatti individuali il formaggio filan-
te ai rösti di patate e terminate con la salsa di
peperone.

PASTA MISCHIATA PATATE E MOZZARELLA AFFUMICATA

INGREDIENTI

200 g di mozzarella affumicata
280 g di pasta mista
500 g di patate
50 g di lardo (o di pancetta di maiale)
1 carota
1 costa di sedano
prezzemolo
100 g di cipolla
1/2 cucchiaio di concentrato di pomodoro
1 l di brodo vegetale
1 ciuffo di basilico
100 g di Parmigiano-Reggiano grattugiato
olio
sale
pepe

PREPARAZIONE: 25 MINUTI
COTTURA: 40 MINUTI

Fate un battuto con il lardo (o la pancetta), la carota, il sedano e il prezzemolo. Tagliate finemente anche la cipolla. Mettete il trito con poco olio su fuoco basso e lasciate colorire; aggiungete le patate tagliate a cubetti e il concentrato di pomodoro. Regolate di sale e di pepe, quindi lasciate insaporire e cuocete lentamente per 30 minuti. Quando le patate saranno cotte, frullate la metà della zuppa, aggiungete 2 mestoli di brodo bollente e riportate sul fuoco. Quando il bollore sarà ripreso, unite la pasta e lasciate cuocere. La minestra deve risultare quasi asciutta, formando una crema che "leghi" la pasta.

Lasciate riposare a fuoco spento per 10 minuti, quindi insaporite con il basilico spezzettato, aggiungete il Parmigiano-Reggiano e la mozzarella affumicata tagliata a cubetti e servite subito.

MOZZARELLABURGER

INGREDIENTI

300 g di mozzarella

4 hamburger di pollo da 100 g l'uno

2 pomodori

1 mazzetto di menta fresca

4 panini al sesamo

4 foglie di lattuga

50 ml di olio

sale

pepe

PREPARAZIONE: 25 MINUTI

COTTURA: 15 MINUTI

Preparate in una ciotola un'emulsione con l'olio, il succo di un pomodoro (frullato e filtrato), una presa di menta tritata, poco sale e pepe, e fatevi marinare gli hamburger per 20 minuti.

Cuocete gli hamburger in una padella antiaderente, rosolandoli per 5 minuti per lato, poi ricopriteli con le fette di mozzarella e lasciateli sotto il grill del forno per 3 minuti.

Aprite i panini e tostateli leggermente, aperti, sotto il grill per 2 minuti.

Farcite i panini con le foglie di lattuga, le fette di pomodoro e gli hamburger alla mozzarella.

OMELETTE CON MOZZARELLA PROSCIUTTO E FUNGHI

INGREDIENTI

400 g di mozzarella

8 uova

120 g di prosciutto cotto

150 g di funghi champignon

1 mazzetto di prezzemolo

burro

sale

PREPARAZIONE: 10 MINUTI

COTTURA: 6 MINUTI

Mondate e lavate i funghi, tagliateli a fette e fateli cuocere con poco olio finché non sono morbidi. Aggiungete il prezzemolo tritato e salate.

Sbattete leggermente le uova solo all'ultimo momento e salatele.

Per ogni omelette fate sciogliere una noce di burro in una padella antiaderente e versatevi un quarto del composto di uova, lasciandolo cuocere a fiamma piuttosto bassa. Quando l'omelette sarà colorita sotto e rassodata sopra, distribuitevi un quarto dei funghi, un quarto del prosciutto e della mozzarella tagliata a fette e ben strizzata; ripiegate e servite.

PALLA DI MOZZARELLA
CON TAGLIOLINI AL PESTO

INGREDIENTI

PER LA PALLA DI MOZZARELLA

4 mozzarelle da 140 g l'una

80 g di tagliolini all'uovo

80 g di pesto

40 g di Grana Padano grattugiato

50 g di farina

3 uova

200 g di pancarré

3 dl di olio di semi di arachidi

olio

sale

PER LA SALSA DI PISELLI

300 g di piselli congelati

1 scalogno

olio

sale

pepe

PREPARAZIONE: 40 MINUTI

COTTURA: 40 MINUTI

PER LA SALSA DI PISELLI: cuocete i piselli in acqua bollente e passateli in acqua e ghiaccio. In una padella rosolate lo scalogno con poco olio. Aggiungete i piselli e lasciate insaporire per qualche minuto, unendo un mestolo di acqua di cottura. Aggiustate di sale e di pepe. Frullate i piselli con il frullatore termico o a immersione.

PER LA PALLA DI MOZZARELLA: cuocete i tagliolini in acqua salata, scolateli al dente e saltateli con il pesto e il Grana Padano. Suddivideteli in 4 porzioni uguali.
Sistemate le mozzarelle in 2 piatti e fatele ammorbidire nel microonde a 800 W per 1-2 minuti; dipende dalla consistenza della mozzarella. Allargate le mozzarelle con le mani e sistemate al centro i tagliolini al pesto. Richiudete velocemente le mozzarelle prima che si raffreddino. Formate con le mani delle sfere per ridare alla mozzarella la sua forma iniziale. Asciugatele e passatele nella farina e tre volte nelle uova sbattute e nel pancarré precedentemente tostato e grattugiato. Friggete le mozzarelle nell'olio di semi caldo a 170°.
Distribuite la salsa di piselli a specchio sui piatti individuali e adagiate in ognuno una sfera di mozzarella bollente.

PANINO DI MOZZARELLA VERDURE E MOLLICA GRIGLIATE

INGREDIENTI

4 mozzarelle da 150 g l'una

300 g di verdure (melanzane, zucchine e peperoni)

100 g di mollica (di pane cafone oppure di pane privato della crosta)

80 g di formaggio dolce cremoso (tipo Philadelphia)

1 arancia non trattata

2 cucchiai di olio

sale

pepe

PREPARAZIONE: 30 MINUTI

COTTURA: 5 MINUTI

■

Tagliate 4 fette di pane e aiutandovi con un tagliapasta ricavatene 4 dischi del diametro delle mozzarelle. Passateli velocemente alla piastra e metteteli da parte.

Mondate e lavate le verdure, poi tagliatele a fette e lasciatele per 20 minuti in una marinata ottenuta emulsionando il succo e la scorza grattugiata dell'arancia, l'olio, un pizzico di sale e uno di pepe. Scolate gli ortaggi, tamponateli con carta assorbente da cucina e grigliateli.

Frullate il liquido della marinata con un frullatore a immersione e passatelo in frigorifero.

Lavorate con una forchetta il formaggio.

Tagliate a metà le mozzarelle, lasciando una parte attaccata, come se fossero dei panini. Spalmate il formaggio cremoso su entrambe le metà, al centro mettete un disco di pane grigliato e un po' di verdure grigliate. Fermate con uno stecchino e impiattate, decorando con la restante parte di verdure alla griglia.

PARMIGIANA VELOCE

INGREDIENTI

400 g di mozzarella
1 melanzana grande
400 g di pomodori ramati
1 mazzetto di basilico
100 ml di olio
sale
pepe

PREPARAZIONE: 40 MINUTI
COTTURA: 4 MINUTI

Tagliate le melanzane e i pomodori a fette spesse mezzo centimetro, salatele e pepatele, quindi scottatele alla piastra, o in alternativa passatele in forno per 6 minuti azionando il grill a 160°. Immergete le foglie di basilico in acqua bollente per un minuto, scolatele e frullatele con l'olio. Preparate le parmigiane in una teglia, alternando strati di melanzane e pomodori; aggiungete qualche foglia di basilico e le fette di mozzarella. Completate con l'olio al basilico e passate la parmigiana in forno già caldo a 180° per 4 minuti. Servitela calda.

PASTA FILLO E BOCCONCINI

INGREDIENTI

8 bocconcini di mozzarella

8 fogli di pasta fillo

1 porro

2 carote

2 zucchine

8 pomodorini

olio

sale

pepe

PREPARAZIONE: 40 MINUTI

COTTURA: 35 MINUTI

Mondate le verdure. Tagliate il porro a rondelle molto sottili e fatelo appassire in una padella con un filo di olio. Tagliate le carote a rondelle dello spessore di mezzo centimetro e unitele al porro in padella. Lasciatele cuocere a fuoco medio per 5 minuti e poi aggiungete le zucchine, tagliateanch'esse a rondelle. Aggiustate di sale e di pepe e lasciate cuocere per altri 10 minuti. Lasciate raffreddare.

Tagliate i pomodorini e i bocconcini a metà.

Stendete un foglio di pasta fillo piegato a metà su un piano e farcitelo con un cucchiaio di verdure cotte, 2 mezzi pomodorini e 2 mezzi bocconcini. Chiudete il foglio di pasta fillo a triangolo sovrapponendo gli angoli più volte. Ripetete l'operazione per tutti i fogli a disposizione e metteteli in una teglia da forno ben oliata. Cuocete in forno preriscaldato a 180° per 20 minuti.

PASTA FAGIOLI, COZZE E MOZZARELLA

INGREDIENTI

250 g di mozzarella

500 g di pasta mista

200 g di fagioli cannellini già lessati

1 kg di cozze

1 spicchio di aglio

2 cucchiai di passata di pomodoro

peperoncino piccante

1 ciuffo di prezzemolo

olio

PREPARAZIONE: 20 MINUTI

COTTURA: 40 MINUTI

Pulite bene le cozze. In una pentola alta e capiente fate rosolare l'aglio con un filo di olio. Dopo pochi secondi, versatevi le cozze. Chiudete con il coperchio e fatele aprire a fuoco alto, poi spegnete. Separate le cozze dal sughetto e sgusciatele. Filtrate il sughetto per eliminare ogni impurità e versatelo in una pentola. Mettetela sul fuoco e aggiungetevi i fagioli, metà frullati e metà interi. Dopo circa 5 minuti, a fuoco medio aggiungete la passata di pomodoro. Mescolate spesso, affinché il tutto non si attacchi.

A parte fate bollire in un pentolino dell'acqua che vi servirà per completare la cottura della pasta. Versate la pasta mista nel sughetto di cozze con i fagioli e fate cuocere, unendeo se serve l'acqua bollente o il brodo di cottura dei fagioli, un mestolo per volta. Non è necessario salare in quanto il liquido fuoriuscito dalle cozze è già sapido.

Quando la pasta è cotta, aggiungete del peperoncino, le cozze, la mozzarella a dadini e le foglioline di prezzemolo. Potete servire in terrine di creta, lasciando raffreddare leggermente.

PASTICCIO SAPORITO

INGREDIENTI

200 g di mozzarella

200 g di carne di manzo

1 uovo

1 cucchiaio di crusca d'avena

4 pomodori maturi

origano

100 g di formaggio cremoso

sale

pepe

PREPARAZIONE: 30 MINUTI

COTTURA: 20 MINUTI

In una ciotola riunite la carne macinata, la mozzarella tritata e ben strizzata, l'uovo, la crusca, un pizzico di sale e uno di pepe. Amalgamate bene con le mani, fino a ottenere un impasto omogeneo, uniforme e cremoso.

Foderate una teglia con carta da forno bagnata e ben strizzata e sistematevi il composto di carne, allargandolo come una pizza alta 2 centimetri. Tagliate a pezzettini i pomodori e cospargeteli sulla pizza di carne. Spolverate con un pizzico di sale, uno di pepe e uno di origano. Cuocete nel forno preriscaldato a 200° per 20 minuti.

Servite la "pizza" calda, guarnendola con ciuffetti di formaggio cremoso.

PASTIERA DI GRANO SALATA

INGREDIENTI

150 g di mozzarella

100 g di grano cotto

100 g di ricotta

2 uova

50 g di strutto

sale

pepe

PREPARAZIONE: 20 MINUTI

COTTURA: 30 MINUTI

■■■

Setacciate la ricotta. In una ciotola mescolate la ricotta, il grano e la mozzarella tritata. Man mano che mescolate aggiungete prima un uovo e poi l'altro. Amalgamate bene il composto e aggiustate di sale e di pepe.

Versate il composto in una teglia da forno precedentemente unta con una parte dello strutto. Ricoprite con fiocchi di strutto e cuocete in forno preriscaldato a 180° per 30 minuti.

PATATE E UOVA CON MOZZARELLA

INGREDIENTI

300 g di mozzarella

6 patate da 140 g l'una

6 uova

100 g di burro

80 g di Parmigiano-Reggiano grattugiato

sale

pepe

PREPARAZIONE: 15 MINUTI

COTTURA: 50 MINUTI

Lessate e sbucciate le patate. Tagliatele a fette piuttosto sottili e distribuitele in una pirofila, quindi cospargetele con una parte del burro. Tagliate a fette la mozzarella e distribuitela sopra le patate. Aprite le uova in un piatto e fatele scivolare delicatamente sopra la mozzarella, facendo in modo che rimangano intere.

Condite con sale, pepe, il Parmigiano-Reggiano e il burro restante, distribuiti su tutta la superficie. Mettere in forno preriscaldato e lasciate cuocere per 10 minuti a 200°.

PATATE RIPIENE ALLA MOZZARELLA E ACCIUGHE

INGREDIENTI

250 g di mozzarella

4 patate di forma allungata da 200 g l'una

50 g di filetti di acciuga

70 g di burro

1 tuorlo

80 g di mollica di pane raffermo grattugiata

noce moscata

sale

pepe

PREPARAZIONE: 20 MINUTI

COTTURA: 1 ORA

Lessate le patate, poi tagliatele a metà per il lungo senza sbucciarle. Con un cucchiaino vuotatele nella parte centrale lasciandone uno spessore di circa un centimetro.

Passate in uno schiacciapatate la polpa tolta alle patate. Tagliate la mozzarella a dadini. Tritate le acciughe e mescolatele in una ciotola con 25 g di burro, un pizzico di sale, uno di pepe, una grattata di noce moscata, il tuorlo, il purè di patate, la mozzarella a dadini e una parte del pangrattato. Con il composto farcite le mezze patate e spolverizzatele con il rimanente pangrattato e il burro rimasto, fuso. Disponete il tutto in una terrina e fate gratinare in forno già caldo a 180° per 15 minuti.

PIZZA RUCOLA, POMODORINI E BOCCONCINI

INGREDIENTI

PER LA PASTA DELLA PIZZA

400 g di farina

8 g di lievito di birra

2 dl di acqua

1 cucchiaino di zucchero

3 cucchiai di olio

sale

PER LA FARCIA

200 g di bocconcini di mozzarella

200 g di rucola fresca

20 pomodorini ciliegini

80 g di Parmigiano-Reggiano in scaglie

1 mazzetto di basilico

aceto balsamico di Modena

olio

sale

pepe

PREPARAZIONE: 30 MINUTI + 3 ORE
DI LIEVITAZIONE
COTTURA: 18 MINUTI

PER LA PASTA DELLA PIZZA: sciogliete il lievito nell'acqua tiepida e aggiungetevi un pizzico di sale, lo zucchero e l'olio. Versate il tutto nella farina disposta a fontana su un piano da lavoro in legno (oppure in metallo o marmo liscio). Lavorate il composto fino a ottenere una pasta liscia ed elastica. Disponetela quindi in un contenitore capiente coperto con un panno umido e lasciatela lievitare per 3 ore. Passato questo tempo, stendete la pasta con il matterello e adagiatela in una teglia da forno rotonda ben oliata.

PER LA FARCIA: lavate i pomodorini, la rucola e il basilico e scolate i bocconcini di mozzarella. Ricoprite la pasta della pizza di pomodorini e di bocconcini di mozzarella, salate leggermente, quindi infornatela nel forno preriscaldato a 220° per 18 minuti. A questo punto tiratela fuori dal forno e condite la pizza con la rucola, il Parmigiano-Reggiano, le foglie di basilico intere, pepe, olio e aceto balsamico secondo i gusti. Servite ancora calda.

PIZZA AL CONTRARIO

INGREDIENTI

680 g di sfoglia di mozzarella
160 g di pomodori pelati San Marzano
12 foglie di basilico
160 g di pane tostato a cubetti
olio
sale

PREPARAZIONE: 10 MINUTI
COTTURA: 4 MINUTI
ATTREZZATURA: COPPAPASTA

Ricavate dei dischi dalla sfoglia di mozzarella aiutandovi con un coppapasta. Per preparare un bordo alla vostra finta pizza utilizzate la mozzarella che è rimasta fuori dal coppapasta: ammorbidite questi scarti di mozzarella passandoli nel microonde a 600 W per un minuto, poi iniziate a lavorarli con le dita. Formate un cordoncino lungo quanto la circonferenza del disco di mozzarella. Posizionate al centro del cordoncino dei piccoli cubetti di pane tostato e ricopriteli subito con la mozzarella stando attenti che sia ancora ben calda, altrimenti non si riattacca bene. Sistemate il bordo lungo il disco di mozzarella e fatelo attaccare alla finta pizza, scaldando il tutto con un cannello. Fiammeggiate la superficie in modo da creare delle macchie di colore, proprio come avverrebbe normalmente nel forno della pizza. Disponete al centro i pomodori già schiacciati e salati, il pane tostato avanzato e sbriciolato, le foglie di basilico precedentemente lavate e asciugate. Per finire, condite con un filo di olio.

PIZZA DI PANE SALSICCIA, SCAROLA E MOZZARELLA

INGREDIENTI

150 g di mozzarella
500 g di pasta da pane
150 g di salsiccia
300 g di scarola riccia
1 spicchio di aglio
peperoncino piccante
1 tuorlo
80 g di Parmigiano-Reggiano grattugiato
olio
sale

PREPARAZIONE: 15 MINUTI
COTTURA: 50 MINUTI

Mondate e lavate la scarola. In una padella fate scaldare l'olio con lo spicchio di aglio, un pizzico di peperoncino e la salsiccia sbriciolata. Fate cuocere per qualche minuto e aggiungete la scarola. A cottura ultimata lasciate raffreddare e aggiungete la mozzarella tagliata a dadini e il Parmigiano-Reggiano.

Stendete la pasta lievitata e spennellatela con una parte del tuorlo sbattuto. Posizionate il composto sulla pasta, lasciando liberi dall'impasto i bordi, e avvolgetela formando un rotolo. Tagliate la pasta in eccesso aiutandovi con un coltello e incidete trasversalmente lo strudel 3 volte. Spennellate con la restante parte del tuorlo tutta la superficie dello strudel. Infornate a 200° per 30 minuti.

POLLO AL TARTUFO
CON MILLEFOGLIE DI MOZZARELLA

INGREDIENTI

400 g di mozzarella

600 g di petto di pollo

90 g di tartufo nero

150 g di lardo a fette molto sottili

olio

sale

pepe

PREPARAZIONE: 15 MINUTI

COTTURA: 20 MINUTI

Aprite a mo' di portafoglio il petto di pollo lasciando le due metà attaccate da una parte. Ricoprite ciascuna metà con due fogli di carta da forno e schiacciatele con un batticarne, in modo da dare uno spessore uniforme a tutta la superficie. Tagliate in piccoli cubetti la mozzarella ben strizzata e grattugiate il tartufo.

Sistemate sulla carne il tartufo, poi la mozzarella e infine il lardo; salate e pepate. Infine, arrotolate il petto e legatelo stretto. Cucinatelo in una casseruola con olio e sale facendolo rosolare bene. Servite con insalata di stagione.

POLPETTINE DI SALMONE PATATE E MOZZARELLA

INGREDIENTI

250 g di mozzarella
500 g di patate
250 g di salmone affumicato
1 porro
2 uova
erba cipollina fresca
150 g di pangrattato (*vedi* pag. 12)
1 bicchiere di vino bianco secco
olio
sale
pepe

PREPARAZIONE: 40 MINUTI
COTTURA: 1 ORA

Lavate, sbucciate e cuocete le patate in abbondante acqua salata. Nel frattempo, lavate e tagliate il porro a rondelle, quindi fatelo appassire per 3 minuti in una padella con poco olio. Quando le patate saranno ben morbide, scolatele, tagliatele a pezzi e mettetele nella padella con il porro. Cuocete per 5 minuti, aggiustando infine di sale e pepe. Levate dal fuoco e lasciate raffreddare.

Intanto tagliate a pezzi la mozzarella e mettetela nel contenitore del mixer. Aggiungetevi le uova e il composto di porro e patate. Azionate il mixer e poi aggiungete al composto l'erba cipollina tagliata finemente e il salmone sminuzzato. Amalgamate il tutto a mano.

Preparate delle polpettine del diametro di 5 cm al massimo e schiacciatele leggermente tra le mani. Passatele quindi nel pangrattato, adagiatele in una teglia con un filo di olio e cuocetele in forno a 180° per 15 minuti. Passato questo tempo, sfumate con il vino e lasciate cuocere per altri 3 minuti in forno. Servitele calde.

POMODORI FARCITI DI FRISELLE E MOZZARELLA

INGREDIENTI

400 g di mozzarella

4 pomodori ramati da 120 g l'uno

2 friselle

200 g di pomodorini Pachino

100 g di sedano

1 spicchio di cipolla rossa

il succo di 1 limone

100 g di ricotta

1 mazzetto di basilico

100 g di riso Venere

olio

sale

pepe

PREPARAZIONE: 40 MINUTI

COTTURA: 15 MINUTI

Con un coltello incidete a croce i pomodori, immergeteli per un minuto in acqua bollente e, subito, in acqua con ghiaccio. Sbucciateli, incideteli dalla parte del picciolo e svuotateli stando attenti a non bucarli. Salateli e lasciate fuoriuscire l'acqua in eccesso.

Dopo 10 minuti sistemate i pomodori in una teglia da forno con abbondante olio, che deve ricoprirli completamente, e cuoceteli a 75° per 15 minuti. Togliete i pomodori dalla placca e fateli asciugare su carta assorbente da cucina.

Lavate i pomodorini Pachino, il sedano e la cipolla, tagliateli e frullateli insieme aggiungendo il succo del limone. Salate e pepate, quindi passate la salsa attraverso un colino.

Sbriciolate le friselle. Tagliate la mozzarella a cubetti e lavorate la ricotta con una forchetta. Mescolate tutti gli ingredienti con le friselle in briciole, la salsa ai pomodorini e il basilico spezzettato, quindi aggiungete 2 cucchiaio di olio. Infine, aggiustate di sale e pepe.

Farcite i pomodori sistemandoli in un piatto, con la parte chiusa rivolta verso l'alto e mettete attorno del riso Venere cotto e saltato con poco olio in una padella antiaderente.

POMPELMO E BRESAOLA

INGREDIENTI

300 g di mozzarella

1 pompelmo

100 g di bresaola affettata finemente

il succo di 1 limone

olio

sale

pepe in grani

PREPARAZIONE: 15 MINUTI

Sistemate la bresaola su un piatto da portata. In una ciotolina emulsionate il succo di mezzo limone con un cucchiaino di olio, un pizzico di sale e uno di pepe macinato al momento. Con questa salsina condite le fette di bresaola. Coprite il piatto con pellicola per alimenti e mettete in frigorifero a raffreddare.

Poco prima di servire, tagliate la mozzarella a fette larghe ma sottili e tenetele da parte. Sbucciate il pompelmo, privatelo della pellicina bianca e tagliatelo a fette sottili.

Togliete la bresaola dal frigorifero, sovrapponetevi le fette di mozzarella e sopra ciascuna fetta ponete una fetta di pompelmo. Salate, pepate e condite con il succo filtrato dell'altro mezzo limone e un filo di olio.

PORTAFOGLI DI POLLO FRITTO

INGREDIENTI

200 g di mozzarella

1 petto di pollo da 400 g

100 g di prosciutto crudo

50 g di farina

2 uova

pangrattato (*vedi* pag. 12)

olio di semi di arachidi

sale

pepe

PREPARAZIONE: 20 MINUTI

COTTURA: 10 MINUTI

Lavate e asciugate il petto di pollo. Apritelo a mo' di portafoglio, lasciando le due metà attaccate da una parte. Ricoprite ciascuna metà con due fogli di carta da forno e schiacciatele con un batticarne, in modo da dare uno spessore uniforme a tutta la superficie.

Disponetevi sopra la mozzarella a fette e il prosciutto. Richiudete e passate nella farina, nelle uova sbattute e nel pangrattato, facendo chiudere bene le estremità. Friggete in abbondante olio bollente e passatelo su carta assorbente da cucina a perdere l'unto in eccesso. Servite il petto di pollo diviso in due, in modo che fuoriesca una parte del ripieno.

PROSCIUTTO COTTO E MOZZARELLA

INGREDIENTI

200 g di mozzarella tenuta in frigorifero
per 2 giorni (priva di liquido di governo)
100 g di prosciutto cotto
2 uova
pangrattato (*vedi* pag. 12)
3 dl di olio di semi di arachidi
sale

Tagliate a bastoncini la mozzarella e avvolgete ciascun bastoncino in una strisciolina di prosciutto cotto. Nel frattempo, sbattete le uova con un pizzico di sale.

Passate gli involtini nelle uova sbattute e nel pangrattato per 3 volte. Friggeteli in abbondante olio bollente e serviteli caldi.

PREPARAZIONE: 10 MINUTI
COTTURA: 4 MINUTI

RAVIOLO APERTO MAZZANCOLLE E MOZZARELLA

INGREDIENTI

400 g di mozzarella

80 g di pasta fresca all'uovo

12 code di mazzancolle sgusciate

300 g di patate

2,5 dl di latte

4 pomodori

timo fresco per guarnire

olio

sale

pepe in grani

PREPARAZIONE: 30 MINUTI

COTTURA: 24 MINUTI

Lessate le patate in acqua salata, sbucciatele e frullatele con la mozzarella e il latte fino a ottenere una consistenza cremosa. Tagliate le mazzancolle in 3-4 parti e fatele saltare in padella per 3 minuti con un filo di olio e i pomodori, precedentemente privati dei semi e tagliati a cubetti. Aggiustate di sale e pepe.

Nel frattempo, dividete la pasta in 8 rettangoli di uguale misura e cuoceteli in acqua bollente salata. Disponete in ogni piatto individuale 2 cucchiai di crema di mozzarella e adagiatevi sopra una sfoglia di pasta appena scolata. Coprite con il composto di mazzancolle e pomodori e aggiungete un cucchiaio di crema di mozzarella. Coprite con un'altra sfoglia di pasta, crema di mozzarella e farcia di mazzancolle e pomodori. Servite il piatto ancora tiepido, completando con del timo fresco, un filo di olio e pepe macinato al momento.

RISO CURRY E MOZZARELLA

INGREDIENTI

200 g di mozzarella

150 g di riso Carnaroli

1 cucchiaio di curry

1/4 di scalogno

1 carota

100 g di cime di cavolfiore

prezzemolo

olio

sale

pepe

PREPARAZIONE: 30 MINUTI

COTTURA: 20 MINUTI

Mondate le verdure, lessatele separatamente, quindi scolatele e tagliatele a pezzetti. Riunitele in una ciotola, salatele, pepatele, unitevi del prezzemolo lavato e tritato, 2 cucchiai di olio e mescolate bene.

Lessate il riso in acqua leggermente salata a cui avrete aggiunto il curry, poi scolatelo e suddividetelo in 2 stampi ad anello unti con poco olio. Premete bene, poi sformate gli anellini di riso sui piatti e riempite il foro con le verdure preparate e la mozzarella tagliata a piccoli pezzi, dopo averla ben strizzata. Infine ponete i piatti per qualche minuto in forno già caldo a 180°.

ROLLÈ DI MANZO E MOZZARELLA

INGREDIENTI

300 g di mozzarella
500 g di fettine sottilissime di manzo
1 mazzetto di rucola
2 albumi
100 g di fiocchi di mais tostati
olio di semi di arachidi
sale
pepe

PREPARAZIONE: 20 MINUTI
COTTURA: 4 MINUTI

Stendete le fette di manzo su un tagliere (se sono piccole sovrapponetele leggermente 2 a 2), salatele e pepatele. Farcite ciascuna fettina di manzo con 2 fette sottili di mozzarella privata del latticello. Ponete a un'estremità la rucola lavata, asciugata e spezzettata con le mani.

Arrotolate le fettine su se stesse, ripiegando all'interno i bordi esterni, in modo da ottenere i rollè. Fermateli con degli stuzzicadenti e passateli negli albumi sbattuti, poi nei fiocchi di mais sbriciolati con le mani e friggeteli per un minuto in olio caldo. Salate e servite.

RUOTE ZUCCHINE ALLA SCAPECE E MOZZARELLA

INGREDIENTI

500 g di mozzarella
280 g di ruote di pasta
800 g di zucchine
50 g di aceto di vino bianco
1 mazzetto di menta
1 spicchio di aglio
1 scalogno
3 dl di olio di semi di arachidi
olio
sale
pepe

PREPARAZIONE: 1 ORA
COTTURA: 18 MINUTI

Mondate e lavate le zucchine, tenendone 2 da parte. Tagliatele a rondelle spesse 4 mm e friggetele nell'olio di semi. Adagiatele su carta assorbente da cucina, quindi mettetele in una terrina e conditele con l'aceto, delle foglie di menta lavate, lo spicchio di aglio schiacciato e del sale. Fatele insaporire per almeno un'ora.

Grattugiate le zucchine tenute da parte nel senso della lunghezza. Tagliate a cubetti la mozzarella. Cucinate le ruote in abbondante acqua salata; nel frattempo, fate scaldare l'olio e lo scalogno e saltate velocemente le zucchine grattugiate. Scolate le ruote e mescolatele prima con le zucchine grattugiate e poi con le zucchine alla scapece. Trasferite il tutto in una zuppiera o in fondine individuali, alternando uno strato di pasta con uno di dadini di mozzarella e ripetete per tre volte, completando con la mozzarella. Decorate con foglioline di menta.

ROSSO SAN MARZANO

INGREDIENTI

200 g di mozzarella

4 pomodori pelati San Marzano

240 g di riso Carnaroli

1 scalogno soffritto

il liquido di governo della mozzarella

brodo vegetale

100 g di ricotta

olio

sale

pepe

PREPARAZIONE: 20 MINUTI

COTTURA: 40 MINUTI

Disponete i pomodori su una placca da forno ricoperta con carta oleata e lasciateli asciugare in forno a 80° per 20 minuti.

Tostate il riso in una casseruola antiaderente fino a quando non scotterà al tatto. Unite il soffritto di scalogno e portate a cottura il risotto alternando mestolate di liquido di governo della mozzarella e di brodo, entrambi caldi. A fine cottura, mantecate il riso con la ricotta stemperata con poco liquido di governo (circa 30 ml), e con la mozzarella tritata finemente. Regolate di sale e di pepe. Disponete il riso in 4 piatti individuali, adagiando al centro di ciascuno un pomodoro asciugato in forno. Completate con un filo di olio sui pomodori e un pizzico di sale.

SANDWICH DI PATATE

INGREDIENTI

500 g di mozzarella

8 patate piccole

1 rametto di rosmarino

1 fetta di speck da 80 g

1 cucchiaio di origano secco sbriciolato

olio

sale

pepe

PREPARAZIONE: 40 MINUTI

COTTURA: 30 MINUTI

Sbucciate le patate e incidetele con dei taglietti paralleli poco profondi. Sistematele su una placca foderata con carta da forno, salatele, irroratele con poco olio e cuocetele nel forno preriscaldato a 200° per 25 minuti. A fine cottura, spennellate le patate con olio insaporito con un pizzico di pepe e il rosmarino tritato finemente.

Tagliate le patate a metà per il lungo, scavate un po' internamente con uno scavino o con un cucchiaio e raccogliete la parte prelevata in una ciotola. Schiacciate la polpa e incorporatevi lo speck tritato e l'origano. Farcite ogni patata con il composto allo speck e la mozzarella tagliata a cubetti minuti, dopo averla ben strizzata, poi richiudetela, senza schiacciare troppo. Passate le patate nel forno ancora caldo per altri 5 minuti.

SFERA BIANCA CON RIPIENO ROSSO

INGREDIENTI

4 mozzarelle da g 100 l'una

2 peperoni rossi

1 spicchio di aglio

1 limone non trattato

50 g di Grana Padano grattugiato

60 g di olive nere denocciolate

10 g di capperi

80 g di scarola riccia

olio

sale

pepe

PREPARAZIONE: 15 MINUTI

COTTURA: 12 MINUTI

Lavate e asciugate i peperoni, sistemateli su una piastra ben calda, girandoli ogni tanto, e toglieteli quando vedete che la buccia si sta bruciacchiando. Sistemate i peperoni ancora caldi in una busta per alimenti e lasciateli riposare per qualche minuto, quindi sbucciateli, privateli dei semi e dei filamenti bianchi, quindi tagliateli a listarelle. Condite i peperoni con un pizzico di sale, un filo di olio, l'aglio intero appena schiacciato e qualche goccia di limone. Aggiungete la scorza grattugiata del limone, il Grana Padano, le olive tagliate pezzetti e i capperi, e mescolate con cura. Dividete in 4 porzioni e ponetele su un piatto di portata.

Scaldate le mozzarelle in microonde a 800 W per 1-2 minuti (dipende dalla loro consistenza). Appena vedete che iniziano ad ammorbidirsi, estraetele e schiacciatele con le mani come se fossero un impasto di pizza. Prima che si raffreddino distribuite una porzione di peperoni al centro, chiudete i lati velocemente, riformando delle sfere, e pressate leggermente per richiuderle.

Pulite la scarola, conditela con un pizzico di sale, un filo di olio e il rimanente succo filtrato del limone; sistemate in ogni piatto un po' di scarola, poi ponete al centro di ognuno una sfera bianca con ripieno rosso.

SFOGLIA DI PASTA PORCINI E BUFALA

INGREDIENTI

150 g di mozzarella

12 sfoglie tonde di pasta

150 g di funghi porcini

4 patate piccole

50 g di Parmigiano-Reggiano grattugiato

1 spicchio di aglio

1 mazzetto di prezzemolo

4 cucchiai di panna

olio

sale

pepe

PREPARAZIONE: 1 ORA

COTTURA: 20 MINUTI

Lessate le patate, sbucciatele e schiacciatele.

Cuocete la pasta, scolatela e mettetela a raffreddare su un canovaccio, poi passatela nel Parmigiano-Reggiano.

Mondate e spazzolate i porcini e affettateli finemente. Metteteli in una padella con lo spicchio d'aglio schiacciato e un filo di olio, e portate a cottura. Eliminate l'aglio, aggiungete il prezzemolo tritato e frullate i funghi. Aggiungete il frullato di funghi alle patate schiacciate, unendo 2 cucchiai di panna, un filo di olio, la mozzarella tagliata a dadini, sale e pepe.

Componete la lasagna alternando per tre volte i dischi di pasta e il ripieno. Cuocete in forno preriscaldato a 160° per 10 minuti.

SPADA MOZZARELLA E POMODORO

INGREDIENTI

500 g di mozzarella

4 fette di pesce spada da 150 g l'una

400 g di pomodori

15 capperi dissalati

60 g di olive nere denocciolate

origano

1 spicchio di aglio

olio

sale

pepe

PREPARAZIONE: 10 MINUTI

COTTURA: 14 MINUTI

Tagliate le fette di mozzarella e lasciatele sgocciolare. Mondate e lavate i pomodori, quindi tuffateli in una pentola con acqua bollente, sbucciateli e privateli dei semi. Tagliate la polpa del pomodoro a dadini.

Prendete una teglia da forno e, dopo aver accuratamente lavato e asciugato le fette di spada, adagiatevele senza sovrapporle. Sistematevi sopra le fette di mozzarella, i dadini di pomodoro, i capperi, le olive e l'origano.

Rosolate in un pentolino lo spicchio di aglio appena schiacciato e dell'olio e lasciate insaporire a fuoco lento per qualche minuto. Irrorate le fette di spada con l'olio all'aglio e cuocete nel forno già caldo per 10 minuti a 180°.

TAGLIATELLA DI SEPPIA

INGREDIENTI

500 g di mozzarella

400 g di seppie pulite

400 g di sedano

200 g di pomodori verdi

1 scalogno

20 foglie di basilico

1 arancia

olio

sale

pepe

PREPARAZIONE: 50 MINUTI

COTTURA: 20 MINUTI

Mondate e lavate sedano e pomodori. Tagliate a tocchetti il sedano e cuocetelo per 15 minuti in acqua, poi passatelo in acqua fredda e ghiaccio e scolatelo. Private della buccia i pomodori, eliminate i semi e tagliate la polpa a cubetti. Saltate in una padella con un filo di olio e lo scalogno tritato il sedano e i pomodori, aggiungendo un mestolo di acqua di cottura. Frullate il tutto aggiungendo le foglie di basilico ben lavate e passatelo con un passino fine.

Tagliate le seppie a listarelle sottili, in modo da ottenere delle tagliatelle, e lasciatele marinare in un'emulsione ottenuta con olio, sale, pepe e il succo filtrato dell'arancia.

Strizzate la mozzarella e tagliatela a listarelle. In una padella antiaderente saltate per un minuto le seppie, dopo averle scolate dalla marinata, e lasciatele raffreddare. Unite le seppie alla mozzarella tagliata, alternando i due ingredienti nel piatto e, per finire, versatevi un po' della salsa di sedano e pomodori.

TARALLO DI PIZZA FRIARIELLI, SALSICCIA E MOZZARELLA

INGREDIENTI

PER LA PASTA DELLA PIZZA

400 g di farina

5 g di lievito di birra

2 dl di acqua

1 cucchiaino di zucchero

1 tuorlo

3 cucchiai di olio

sale

PER LA FARCIA

300 g di mozzarella

200 g di friarielli (*vedi* pag. 22)

200 g di salsiccia fresca

2 spicchi di aglio

peperoncino piccante

1/2 bicchiere di vino bianco

80 g di Parmigiano-Reggiano grattugiato

olio

PREPARAZIONE: 40 MINUTI + 3 ORE
DI LIEVITAZIONE

COTTURA: 30 MINUTI

■■■■

PER LA PASTA DELLA PIZZA: sciogliete il lievito in acqua tiepida e aggiungetevi un pizzico di sale, lo zucchero e l'olio. Versate il tutto nella farina a fontana su un piano da lavoro in legno (oppure in metallo o marmo liscio). Lavorate il composto fino a ottenere una pasta liscia ed elastica. Disponetela in un contenitore capiente coperto con un panno umido e fatela lievitare per 3 ore.

PER LA FARCIA: mondate e lavate i friarielli lasciandoli bagnati. In una padella rosolate uno spicchio di aglio appena pressato e del peperoncino con un filo di olio. Unite i friarielli e soffriggeteli. Rosolate il secondo spicchio di aglio appena pressato e del peperoncino con un filo di olio, poi unite la salsiccia sbriciolata e fate soffriggere. Alla fine, aggiungete il vino. Lasciate raffreddare poi tagliate i friarielli in piccoli straccetti. Tagliate la mozzarella a dadini minuti e strizzatela. Una volta raffreddati, riunite i friarielli, sgocciolati del liquido di cottura, la salsiccia e la mozzarella in una ciotola. Aggiungete il Parmigiano-Reggiano e mescolate accuratamente.

Stendete la pasta con il matterello su una spianatoia. Mettete il ripieno al centro della pasta e iniziate a chiudere, formando un cerchio con la parte centrale vuota, così da ricordare la forma del tarallo. Spennellate con il tuorlo la parte superiore e infornate a forno preriscaldato a 200° per 20 minuti.

TOAST PIZZA

INGREDIENTI

300 g di mozzarella tenuta in frigorifero
per 2 giorni (priva di liquido di governo)
8 fette di pane in cassetta
100 g di pomodori pelati
8 filetti di acciuga
origano
olio
sale
pepe

Mettete 2 fette di mozzarella su una fetta di pane in cassetta. Condite con pomodoro a filetti, acciughe a pezzetti e origano. Coprite con un'altra fetta di pane e mettete a scaldare in un tostapane o su una bistecchiera, fino a quando il pane non diventa caldo e croccante e la mozzarella non inizia a fondere.

Potete tagliare ogni toast con forme a piacere oppure lungo la diagonale; serviteli ancora caldi.

PREPARAZIONE: 10 MINUTI
COTTURA: 5 MINUTI

TONKATSU
OMAGGIO AL GIAPPONE

INGREDIENTI

500 g di fette di mozzarella

480 g di pancetta fresca di maiale affettata finemente

50 g di farina di riso

4 uova

150 g di pancarré

80 g di panna

50 g di pesto

olio di semi di arachidi

sale

pepe

PREPARAZIONE: 40 MINUTI

COTTURA: 7 MINUTI

Disponete su un piano di lavoro un primo strato di fette di pancetta, uno di fette di mozzarella e proseguite così, alternando gli strati di pancetta e di mozzarella, fino a ottenere dei quadrati di un certo spessore. A ogni strato di pancetta salate e pepate leggermente.

Avvolgete le millefoglie di pancetta e mozzarella in pellicola per alimenti, ben stretta, e lasciatele per qualche minuto in frigorifero. Eliminate quindi la pellicola per alimenti e rifinite i bordi esterni, aiutandovi con una riga; dovrete ottenere dei quadrati di uguali dimensioni.

Passateli prima nella farina di riso e poi nelle uova sbattute; ripetete questa operazione per 2 volte. Tostate il pancarré nel tostapane o in forno già caldo a 180° e grattugiatelo, quindi passatevi i quadrati. Friggeteli in abbondante olio, scolateli con una schiumarola e disponeteli su carta assorbente da cucina.

Montate leggermente la panna, aggiungendo poco sale. Disponete a specchio la panna su un piatto da portata e decorate con qualche goccia di pesto. Ponete al centro di ogni piatto il quadrato di tonkatsu e servite subito.

TORRETTA DI CAPRESE E MELANZANE

INGREDIENTI

600 g di mozzarella
500 g di pomodori
200 g di melanzana lunga
basilico
origano
olio
sale
pepe

Mondate e lavate la melanzana, tagliatela a fette e grigliate da ambo i lati. Condite con un filo di olio, un pizzico di sale e uno di pepe.

Tagliate la mozzarella a fette e ripetete la stessa operazione con i pomodori.

Infine, montate le torrette: alternate le fette di pomodoro, mozzarella e melanzane, quindi condite con foglioline di basilico e di origano, poco olio, sale e pepe.

PREPARAZIONE: 10 MINUTI
COTTURA: 6 MINUTI

TRAMEZZINO MERIDIONALE

INGREDIENTI

600 g di mozzarella

fette di pane per tramezzini

aceto di mele

1 ciuffo di basilico

1 zucchina

1 carota

3 pomodori

olio

sale

PREPARAZIONE: 40 MINUTI

In una ciotola emulsionate dell'olio con dell'aceto di mele, un pizzico di sale e 8-10 foglie di basilico tritate.

Tagliate a fette molto sottili le verdure, mantenendole separate. Con l'emulsione ottenuta ungete uno stampo a cassetta. Adagiatevi sul fondo una fetta di pane per tramezzini e sovrapponete uno strato di fettine di zucchina, poi uno di carote. Ricordate di ungere con l'emulsione ogni singolo strato. Proseguite con uno strato di fettine di mozzarella e infine uno di pomodori a fette. Adagiate una seconda fetta di pane e ripetete la farcitura alternando altri strati di verdure, mozzarella e condimento. Completate con una fetta di pane. Ripetete l'operazione per altre due volte, fino a completare con il pane.

Avvolgete il tutto con pellicola per alimenti e ponete in frigorifero per 30 minuti. Aprite quindi la confezione e tagliate in porzioni di tramezzino classico o mignon.

TRAMOZZINO DI MOZZARELLA FOCACCIA E MORTADELLA

INGREDIENTI

340 g di sfoglia di mozzarella

240 g di focaccia sottile

100 g di mortadella

80 g di formaggio cremoso

PREPARAZIONE: 40 MINUTI

Stendete la sfoglia di mozzarella. Spalmate il formaggio cremoso su tutta la sfoglia e posizionatevi sopra la focaccia sottile, tagliata della stessa misura. Spalmatevi sopra dell'altro formaggio, adagiate la mortadella, poi ancora uno strato di focaccia, uno di formaggio e ancora mortadella. Ricoprite con la sfoglia di mozzarella, ponete in una teglia da forno e riponete in frigorifero per 30 minuti, mettendo un peso sopra.

Quindi, tagliate i bordi in modo da avere tutti i lati uguali e dividetelo in 4, così da avere dei tramezzini "al contrario", con i due lati di sfoglia di mozzarella all'esterno.

TUBETTI DI PASTA FRUTTI DI MARE E MOZZARELLA GRATTUGIATA

INGREDIENTI

200 g di mozzarella congelata (*vedi* pag. 36)

300 g di tubetti di Gragnano

800 g di molluschi misti (vongole, cozze e fasolari)

1 scalogno

1/2 bicchiere di vino bianco

la scorza grattugiata di 1/2 limone non trattato

2 rametti di prezzemolo

olio

sale

pepe

PREPARAZIONE: 30 MINUTI

COTTURA: 15 MINUTI

In una padella fate rosolare con l'olio lo scalogno tagliato a pezzi piccoli. Unite i frutti di mare, sfumate con il vino bianco e chiudete con un coperchio. Appena si saranno aperti, togliete dal fuoco, fate raffreddare e sgusciate i frutti di mare filtrando tutto il liquido fuoriuscito: tenete da parte i frutti di mare sgusciati e filtrate il brodo.

Cucinate i tubetti in acqua poco salata, scolateli al dente e continuate la cottura nel brodo, aggiungendo un mestolo di acqua di cottura della pasta. Appena sarà cotta, saltatela unendo i frutti di mare tenuti da parte e la scorza di limone.

Suddividete i tubetti ai frutti di mare in fondine individuali, grattugiatevi su una generosa porzione di mozzarella e guarnite con il prezzemolo.

Noterete che ogni boccone risulterà diverso, in base al livello di fusione del formaggio con il calore della pasta.

UOVA AL TEGAMINO

INGREDIENTI

200 g di mozzarella
8 uova
1 scalogno
150 g di pomodorini Pachino
10 foglie di basilico
50 g di cicoria
olio
sale
pepe

PREPARAZIONE: 15 MINUTI
COTTURA: 10 MINUTI

In una padella fate scaldare un filo di olio con lo scalogno tagliato finemente e i pomodorini lavati e tagliati in 4 parti. Tagliate la mozzarella a listarelle. Separate i tuorli dagli albumi e montate questi ultimi a neve con un pizzico di sale.

Appena il pomodoro è appassito unite gli albumi e le foglie di basilico spezzettate a mano, dopo averle lavate. Dopo qualche secondo aggiungete le listarelle di mozzarella. Lasciate cuocere per un minuto e unite i tuorli.

Lavate la cicoria e, senza sgocciolarla troppo, saltatela a crudo in una padella antiaderente con un pizzico di sale e uno di pepe.

Sistemate le uova al centro dei piatti individuali e contornatele con la cicoria.

ZUPPA CAMPANA

INGREDIENTI

560 g di mozzarella
600 g di friarielli (*vedi* pag. 22)
1 scalogno
peperoncino piccante secco
200 g di salsiccia fresca di maiale
2 spicchi di aglio
olio
sale

PREPARAZIONE: 35 MINUTI
COTTURA: 20 MINUTI

Mondate e lavate i friarielli. Cuocetene la metà in acqua bollente per 4 minuti, raffreddateli con acqua e ghiaccio e strizzateli bene. Saltateli poi in padella con un filo di olio, lo scalogno tritato e un pizzico di peperoncino. Aggiungete un mestolo di acqua di cottura, salate e frullateli. Passateli con un passino fine e conservate la salsa.

Tagliate la salsiccia in piccoli pezzi (deve essere quasi sbriciolata) e saltatela con poco olio in una padella antiaderente. Lasciate da parte.

Cucinate l'altra metà dei friarielli (ben lavati e non completamente scolati) in una padella con l'aglio leggermente schiacciato, un filo di olio e un pizzico di peperoncino. Appena pronti, tagliateli e uniteli alla salsa e al trito di salsiccia. Amalgamate bene tutti gli ingredienti.

Tagliate la mozzarella a fette e formate un cerchio direttamente nei piatti, quindi passateli nel microonde a 600 W per un minuto, in modo da far sciogliere parzialmente il formaggio. Aggiungete la zuppa di friarielli al centro del piatto, così che la salsa verde vada a ramificare nella mozzarella fusa e si ottenga una decorazione naturale.

ZUPPA DI COZZE
NEL LATTE DI MOZZARELLA NERA

INGREDIENTI

1 kg di mozzarella

800 g di cozze

3 vescichette di nero di seppia

1 spicchio di aglio

8 pomodorini Pachino

4 fette di pane

olio

sale

pepe

PREPARAZIONE: 40 MINUTI

COTTURA: 15 MINUTI

Lavate e raschiate le cozze, privatele del bisso e conservatele in frigorifero avvolte strettamente in un panno bagnato.

Frullate la mozzarella con 2 mestoli del suo liquido di governo, passate il tutto attraverso un colino fine e conservate la polpa (che potrete utilizzare per un'altra ricetta).

In una pentola capiente versate il latte di mozzarella e, appena sarà caldo, versatevi le cozze. Fatele aprire coprendo con un coperchio. Separate i molluschi dal liquido di cottura e teneteli da parte.

In una padella con un filo di olio e uno spicchio di aglio fate cuocere 4 pomodorini tagliati in quarti e aggiungete un mestolo del liquido di cottura delle cozze filtrato. Aiutandovi con delle forbici aprite direttamente nella padella le vesciche di nero di seppia e lasciate amalgamare per un minuto. Eliminate l'aglio e riunite nell'apposito bicchiere le salse nera e bianca, quindi frullate.

Tagliate a triangoli le fette di pane e tostatele in forno. Distribuite le cozze in 4 fondine, versatevi il latte nero e accompagnate con i crostini di pane e 4 pomodorini Pachino tagliati e precedentemente immersi nell'olio per 15 minuti a 90°.

ZUCCHINE E GAMBERONI

INGREDIENTI

300 g di mozzarella

2 zucchine

12 gamberoni

1/2 bicchiere di vino bianco secco

1 spicchio di aglio

20 g di lievito di birra

1 cucchiaino di zucchero

6 dl di acqua (circa 2 tazze)

1 kg di farina

basilico

6 cucchiai di olio

sale

pepe

PREPARAZIONE: 1 ORA + 3 ORE
DI LIEVITAZIONE
COTTURA: 15 MINUTI

Mondate e lavate le zucchine e tagliatele molto fini, aiutandovi con una mandolina.

Sgusciate i gamberoni e lasciateli per 15 minuti in una marinata composta da olio, vino bianco, lo spicchio di aglio appena schiacciato, un pizzico di sale e uno di pepe.

Sciogliete il lievito di birra e lo zucchero in una tazza di acqua tiepida e 20 g di sale in un'altra. Disponete la farina sul piano di lavoro con la classica forma a fontana, versate l'acqua con il lievito e quella con il sale al centro della farina, aggiungete l'olio e cominciate a impastare energicamente, aggiungendo acqua e farina secondo le esigenze. Lavorate fino a ottenere un impasto liscio ed elastico. A questo punto sistematelo in un contenitore infarinato e copritelo con un canovaccio da cucina. Lasciatelo riposare fino a quando il suo volume non sarà raddoppiato.

Dividete l'impasto in quattro e stendete ogni parte dandole la forma di un disco. Distribuite sopra ciascuno la mozzarella tagliata a dadini e ben strizzata e infornate a 220° per 10 minuti. Sfornate e poi aggiungete le zucchine condite con olio e sale e i gamberoni sgocciolati dalla marinata. Infornate nuovamente per 5 minuti e servite subito.

CROSTATA AUTUNNALE

INGREDIENTI

100 g di mozzarella

300 g di pasta frolla

20 g di burro

1 rametto di rosmarino

100 g di acini di uva bianca

100 g di acini di uva nera

100 g di fichi

il succo di 1/2 limone

200 g di zucchero

2 albumi

burro e farina per lo stampo

PREPARAZIONE: 40 MINUTI

COTTURA: 24 MINUTI

Stendete la pasta frolla aiutandovi con il matterello e trasferitela in uno stampo da 20 cm di diametro imburrato e infarinato. Bucherellate il fondo con una forchetta e cuocete in forno preriscaldato a 200° per 15 minuti.

Sciogliete il burro con qualche ciuffetto di rosmarino in una padella e rosolatevi la frutta tagliata a pezzetti per circa 2 minuti. Spruzzate con qualche goccia di succo di limone e unite 40 g di zucchero. Mescolate, quindi togliete dal fuoco e incorporate la mozzarella, precedentemente strizzata e tritata finemente.

Montate gli albumi con lo zucchero rimasto fino a ottenere un composto sodo e lucido.

Versate la frutta nella base di frolla, poi copritela con la meringa aiutandovi con una spatola. Passate sotto il grill per qualche minuto, fino a quando la meringa non risulterà ben dorata.

BIANCO E NERO

INGREDIENTI

80 g di mozzarella tenuta in frigorifero
per 2 giorni (priva di liquido di governo)
4 mele Annurca
100 g di zucchero
1 baccello di vaniglia
100 g di mascarpone
50 g di gocce di cioccolato fondente
100 g di panna
fettine di mela disidratata

PREPARAZIONE: 20 MINUTI + 2 ORE
COTTURA: 3 MINUTI

Sbucciate le mele e tagliatele a cubetti. Mettetele in una casseruola, aggiungete 50 g di zucchero e il baccello di vaniglia, e portate a bollore. Lasciate raffreddare, poi eliminate la vaniglia.

Lavorate il mascarpone con la restante parte dello zucchero, la mozzarella macinata e le gocce di cioccolato. Mescolate il tutto e aggiungete il composto di mele.

Versate in un unico stampo grande o se preferite in singoli stampini monoporzione, e lasciate in freezer per 2 ore. Servite con la panna montata e qualche fettina di mela disidratata.

BIANCOMANGIARE

INGREDIENTI

5 dl di latticello di mozzarella
300 g di mandorle spellate
200 g di confettura di ciliegie
10 g di colla di pesce
2 dl di panna

PREPARAZIONE: 30 MINUTI + 30 MINUTI
COTTURA: 4 MINUTI

Tritate le mandorle con un mixer, mettetele in una ciotola e copritele completamente con il latte. Aggiungete anche la confettura di ciliegie e lasciate in infusione per qualche ora.

Filtrate il composto e lasciatelo cuocere a fuoco lento. Aggiungete la colla di pesce precedentemente ammorbidita in acqua fredda per 10 minuti, strizzata e sgocciolata. Lasciatela sciogliere aiutandovi con una frusta. Fate raffreddare e unite la panna, dopo averla montata.

Versate il composto in 4 o più stampini e lasciate rassodare in frigorifero per 30 minuti.

NOTA Per ricavare 5 dl (500 ml) di latticello sminuzzate e tritate al passaverdure circa 1,2 kg di mozzarella, aggiungendo poco liquido di governo.

MOUSSE DI MOZZARELLA
CON PANE AL CIOCCOLATO E MORE

INGREDIENTI

400 g di mozzarella

300 g di pane raffermo

250 g di cioccolato fondente

80 g di confettura di more

40 g di albume

120 g di panna

8 g di erba cipollina

1 l di latte

5 uova

250 g di zucchero grezzo di canna

100 g burro

80 g di farina di mandorle

pangrattato (*vedi* pag. 12)

sale

PREPARAZIONE: 40 MINUTI

COTTURA: 60 MINUTI

Passate l'albume al setaccio, montatelo con una frusta e, man mano, incorporatevi la panna.

Frullate la mozzarella, passatela al setaccio e amalgamatela, poco per volta, alla panna montata, insieme all'erba cipollina tritata.

Frullate il pane nel mixer e lasciatelo ammorbidire nel latte.

Lavorate i tuorli con lo zucchero e, quando il composto sarà cremoso e soffice, unite il burro ammorbidito a pezzetti e poi il pane ammollato, la farina di mandorle, 200 g di cioccolato sciolto a bagnomaria, 50 g di cioccolato tritato e gli albumi montati a neve con un pizzico di sale.

Imburrate uno stampo a cerniera del diametro di 26 cm, rivestitelo con pangrattato e versatevi il composto al cioccolato. Spolverizzate la superficie con pangrattato e infornate a 175° per un'ora. Sfornate, sformate subito e lasciate raffreddare il pane al cioccolato su una gratella.

Servitelo a fette con la mousse di mozzarella e la confettura alle more.

MOZZARELLACAKE

INGREDIENTI

300 g di mozzarella tritata

150 g di biscotti al cioccolato

80 g di burro

120 g di zucchero a velo

1 baccello di vaniglia

8 g di colla di pesce

150 g di panna

150 g di lamponi

150 g di frutti di bosco

PREPARAZIONE: 40 MINUTI + 4 ORE

COTTURA: 4 MINUTI

Frullate i biscotti al cioccolato, poi amalgamateli al burro fuso. Stendete il composto in una tortiera rotonda, imburrata e foderata con carta da forno. Pressate bene e mettete nel freezer.

Tritate la mozzarella ben strizzata fino a quando non diventa un impasto cremoso. Aggiungete 50 g di zucchero a velo e i semi del baccello di vaniglia. Lavorate fino a quando il composto non sarà uniforme. Ammollate la colla di pesce in acqua ben fredda per 10 minuti. Scaldate 2 cucchiai di panna e scioglietevi la colla di pesce ben strizzata e sgocciolata. Unite il composto con la colla di pesce alla crema di mozzarella e mescolate. Montate la panna e incorporatevi 50 g di zucchero a velo. Unitela al composto di mozzarella, poco per volta, in modo da avere un impasto cremoso. Versatelo sulla base di biscotti, livellate bene e mettete la mozzarellacake in frigorifero per almeno 4 ore; meglio ancora sarebbe prepararla il giorno prima.

Al momento di servire, preparate la salsa ai lamponi, tenendone da parte alcuni per guarnire: in un pentolino a fuoco basso mettete i lamponi assieme agli ultimi 20 g di zucchero a velo. Cuocete fino a quando non saranno spappolati. Schiacciate e filtrate il succo attraverso un colino e mettetelo in frigorifero. Quando il dolce sarà pronto, decorate con il succo dei lamponi e i lamponi interi tenuti da parte.

SEMIFREDDO ALLA FRUTTA

INGREDIENTI ▬

100 g di mozzarella tenuta in frigorifero
per 2 giorni (priva di liquido di governo)
100 g di ricotta
80 g di zucchero grezzo di canna
2 fogli di colla di pesce
100 g di panna
200 g di frutta di stagione

PREPARAZIONE: 20 MINUTI + 2 ORE
COTTURA: 3 MINUTI

Setacciate la ricotta e mescolatela allo zucchero. Tritate finemente la mozzarella e incorporatela al composto di ricotta e zucchero. Lasciate riposare in frigorifero.

Nel frattempo, ammollate in acqua fredda la colla di pesce. Riscaldate la panna. Strizzate i fogli di colla di pesce e, aiutandovi con una frusta, scioglieteli nella panna, poi aggiungete il tutto al composto di ricotta e mozzarella, mescolando.

Versate l'impasto in uno stampo per dolci (potete utilizzarne uno grande oppure 4 stampini singoli) e mettete in freezer per 2 ore.

Tagliate la frutta a piccoli pezzi e sistemateli sul semifreddo, disponendoli a piacere.

INDICE ALFABETICO DELLE RICETTE

INDICE PER INGREDIENTI

La mozzarella, essendo l'ingrediente principale e comparendo in tutte le ricette, non è stata inserita nell'indice.